Antologia do Cordel Brasileiro

Antologia do Cordel Brasileiro

Seleção e apresentação
Marco Haurélio

Xilogravuras de Erivaldo

"História do caçador que foi ao inferno", "A guerra dos passarinhos", "A sereia do Mar Negro", "Os três irmãos caçadores e o macaco da montanha", "No tempo em que os bichos falavam", "O valente Felisberto e o Reino dos Encantos", "O feiticeiro do Reino do Monte Branco", "João Sem Destino no Reino dos Enforcados" © Editora Luzeiro Ltda., 2011; "João Grilo, um presepeiro no palácio" © Pedro Monteiro, 2011; "O Reino da Torre de Ouro" © Rouxinol do Rinaré, 2011; "O rico preguiçoso e o pobre abestalhado" © Arievaldo Viana, 2011; "O conde mendigo e a princesa orgulhosa" © Evaristo Geraldo da Silva, 2011; "Pedro Malasartes e o urubu adivinhão" © Klévisson Viana, 2011; "As três folhas da serpente" © Marco Haurélio, 2011

1ª Edição, Global Editora, São Paulo 2012
3ª Reimpressão, 2023

Jefferson L. Alves – diretor editorial
Gustavo Henrique Tuna – editor assistente
Flávio Samuel – gerente de produção
Arlete Zebber – coordenadora editorial
Ana Carolina Ribeiro e Tatiana Y. Tanaka – revisão
Tathiana A. Inocêncio – capa e projeto gráfico

Dados Internacionais de Catalogação na Publicação (CIP)
(Câmara Brasileira do Livro, SP, Brasil)

Antologia do cordel brasileiro / seleção e apresentação Marco Haurélio ; [capa e xilogravuras internas Erivaldo]. – São Paulo : Global, 2012.

ISBN 978-85-260-1599-9

1. Folclore. 2. Literatura de cordel – Coletâneas. I. Haurélio, Marco. II. Erivaldo.

11-09458   CDD-398.2

Índices para catálogo sistemático:
1. Literatura de cordel : Folclore   398.2

Obra atualizada conforme o
NOVO ACORDO ORTOGRÁFICO DA LÍNGUA PORTUGUESA

Global Editora e Distribuidora Ltda.
Rua Pirapitingui, 111 – Liberdade
CEP 01508-020 – São Paulo – SP
Tel.: (11) 3277-7999
e-mail: global@globaleditora.com.br

 globaleditora.com.br   @globaleditora

 /globaleditora   @globaleditora

 /globaleditora   /globaleditora

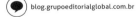 blog.grupoeditorialglobal.com.br

 Direitos reservados.
Colabore com a produção científica e cultural.
Proibida a reprodução total ou parcial desta
obra sem a autorização do editor.

Nº de Catálogo: **3253**

A Antologia do cordel brasileiro se materializou com a ajuda preciosa de Gregório Nicoló, diretor da editora Luzeiro, detentora de boa parte das obras que enfeixam este volume, inclusive do acervo da editora Prelúdio e da tipografia Luzeiro do Norte, de Pernambuco. Nossos agradecimentos se estendem, também, ao cordelista Varneci Nascimento, pelo auxílio no garimpo e presteza na revisão de vários folhetos, e a Aderaldo Luciano e Carlos Alberto Fernandes, o primeiro pesquisador e poeta, o segundo cordelista e advogado, com obras publicadas na tradicional Luzeiro.

Sumário

Apresentação   11
Marco Haurélio

O soldado jogador   21
Leandro Gomes de Barros

História do caçador que foi ao inferno   29
José Pacheco

A guerra dos passarinhos   41
Manoel D'Almeida Filho

A sereia do Mar Negro   51
Antônio Teodoro dos Santos

Os três irmãos caçadores e o macaco da montanha   75
Francisco Sales Arêda

No tempo em que os bichos falavam   91
Manoel Pereira Sobrinho

O valente Felisberto e o Reino dos Encantos   105
Severino Borges Silva

O feiticeiro do Reino do Monte Branco   121
Minelvino Francisco Silva

João Sem Destino no Reino dos Enforcados   147
Antônio Alves da Silva

João Grilo, um presepeiro no palácio   163
Pedro Monteiro

O Reino da Torre de Ouro   175
Rouxinol do Rinaré

O rico preguiçoso e o pobre abestalhado   189
Arievaldo Viana

O conde mendigo e a princesa orgulhosa   205
Evaristo Geraldo da Silva

Pedro Malasartes e o urubu adivinhão   217
Klévisson Viana

As três folhas da serpente   235
Marco Haurélio

Bibliografia   251

Sobre o organizador   253

Sobre o ilustrador   253

APRESENTAÇÃO

A literatura de cordel brasileira, que desde os fins do século XIX vem apresentando uma vasta produção com títulos de excepcional qualidade, é um formidável legado do Nordeste à cultura nacional. Não bastassem os grandes autores, os romances consagrados pela predileção popular e o interesse de estudiosos e artistas de outras searas, o romanceiro nordestino surpreende não pelo que já foi catalogado ou debatido, mas, principalmente, pelo que ainda pode oferecer. É o que prova esta antologia em que o espaço de mais de um século separa o primeiro título selecionado, *O soldado jogador*, de Leandro Gomes de Barros, do último, *As três folhas da serpente*, do autor deste introito e organizador do presente florilégio, Marco Haurélio. Prova irrefutável do vigor deste gênero literário, sempre a contrariar as previsões mais pessimistas.

Leandro Gomes de Barros (1865-1918), Silvino Pirauá de Lima (1848-1913), João Martins de Athayde (1880-1959), João Melquíades Ferreira da Silva (1869-1933), José Galdino da Silva Duda (1866-1931) e José Camelo de Melo Resende (1885-1964), pioneiros do cordel nordestino, ainda são lidos e admirados neste século XXI, em que a cultura do descartável, ditada pelos modismos, impõe regra. O folheto de feira chegou mesmo a receber extrema-unção por parte de alguns pesquisadores e jornalistas, no início da década de 1980. As perspectivas, na época, realmente não eram boas: escasseavam-se os bons autores (romancistas) e toda uma geração de poetas havia envelhecido. Mas o surgimento de uma nova safra de bons valores, que culminou com a criação da editora Tupynanquim, de Fortaleza, trouxe novas luzes, àquele momento, ao entenebrecido horizonte da poesia popular. Alguns destes nomes integram a presente coletânea. São poetas que mantêm um vínculo com a poesia tradicional, ao mesmo tempo em que estão antenados com as novas possibilidades. Esse é o cordel atemporal, sustentado por duas colunas – a tradição e a contemporaneidade.

Presença do conto tradicional na literatura de cordel

O conto popular, predominantemente o conto maravilhoso, ou conto de fadas, é, ainda hoje, fonte de inspiração para alguns poetas. São famosos romances como *João Acaba-Mundo e a serpente negra*, de Minelvino Francisco Silva, e *Juvenal e o Dragão*, de Leandro Gomes de Barros. O primeiro aparece entre os *Contos populares do Brasil*, de Sílvio Romero, sob o nome *A mãe falsa ao filho*. O segundo consta dos *Contos da Carochinha*, de Figueiredo Pimentel, na história intitulada *Henrique e os três cães*. Mas, pode-se retroceder mais ainda, até os tempos heroicos da Grécia Antiga, onde o motivo central – da morte do monstro e salvamento da donzela prestes a ser imolada – está no mito de Perseu e Andrômeda. Um poderoso mito literário, portanto, que atravessa épocas e fronteiras, pois traz, no bojo, uma informação histórica: a do sacrifício propiciatório para aplacar a fúria da natureza deificada ou, simplesmente, proporcionar uma boa colheita.

O universo do cordel, contudo, é bem mais amplo e engloba, ainda, as histórias de animais, calcadas nas velhas fábulas em que o riso brota espontâneo nos lábios de quem as lê ou as escuta. É a magia da literatura oral preservada no bom cordel, que dela deriva. Exemplos: *No tempo em que os bichos falavam*, de Manoel Pereira Sobrinho, que integra a presente antologia; *Casamento e divórcio da lagartixa*, de Leandro Gomes de Barros; *A festa dos bichos*, de Firmino Teixeira do Amaral; e *A intriga do cachorro com o gato*, de José Pacheco.

Comicidade e riso são marcas de alguns personagens consagrados do cordel, conhecidos por sua peraltice, originários também dos contos populares. Os exemplos mais notórios são os de João Grilo e Pedro Malazarte (ou Malasartes). São os *amarelinhos*, famosos por trapacear os poderosos, sejam eles fazendeiros, sultões, ou o próprio Diabo. À lista dos sabichões devem ser acrescentados Cancão de Fogo, criação do genial Leandro Gomes de Barros, e também os poetas portugueses Camões e Bocage. Estes últimos, nos contos faceciosos, nas anedotas e no cordel, possuem os mesmos atributos dos *amarelinhos*. Incluamos também Ricarte, *O soldado jogador*, anti-herói da tradição oral ibérica, cujas peripécias são recontadas na história que abre este livro.

Novos tempos, eternas histórias

A tecnologia, por muito tempo considerada inimiga da literatura de cordel, é hoje uma potencial aliada, especialmente no tangente à sua divulgação. A internet é um espaço democrático que tem oportunizado a muitos autores a permuta de experiências, divulgação de trabalhos e até mesmo comercialização de títulos recém-editados. À maneira dos folheteiros, que mercavam nas feiras e locais de grande concentração de público, os cordelistas de hoje publicam parte do texto na *web* e interrompem justamente no momento mais interessante, estimulando a curiosidade e obrigando o leitor virtual a adquirir a obra para conhecer o final. Não é isto que fazia o cantador de feira, reunindo ao seu redor um grande público para, quase sempre, interromper a leitura – ou *lida* – um pouco antes do clímax da história? Esse artifício era, e ainda pode ser, chamado de *deixa*, pois se insere numa tradição que, por outras vias, está bem viva.

E o cordel, paradoxalmente, se renova para continuar o mesmo. É que, sendo tradição móvel, a temática se atualiza, ainda que certos paradigmas permaneçam. Assim, em *As três folhas da serpente*, lemos esta estrofe que trata das andanças de João, o protagonista, que pode ter múltiplos significados, hoje em dia, apesar de a história se situar numa época indefinida:

> *Andou por terras estranhas,*
> *Aprendeu vários ofícios,*
> *Venceu as dificuldades,*
> *À custa de sacrifícios,*
> *Mas nunca se consumiu*
> *Na labareda dos vícios.*

A antologia

Para o presente trabalho foram selecionados folhetos e romances que trouxessem a marca da atemporalidade. Em quatro cordéis, escritos em diferentes épocas, deparamos a palavra "reino" no título, remetendo aos contos de fadas, tão comuns nos serões familiares, antes que a televisão viesse mudar hábitos e impor costumes alienígenas. Há duas fábulas de caráter exemplar. Numa delas, *A guerra dos passarinhos*, os animais não falam. Nem por isso deixam de ensinar uma preciosa lição ao bicho-homem. E há dois casos curiosos em que os autores, em tom chistoso, lançam uma imprecação – praga – contra aqueles que se negarem a comprar o folheto:

> *Quem não comprar este livro,*
> *Merece se degolar.*
> *Vou mandar um pernilongo*
> *No mourão o amarrar;*
> *Depois ordeno uma pulga*
> *Matá-lo de ferroar.*

> *(O feiticeiro do Reino do Monte Branco)*

Quem comprar este livrinho,
Terá Deus por defensor —
E quem não comprar terá
O diabo por protetor!
Pra onde for se atrasa,
Finda parando na casa
Que parou o caçador!

(*História do caçador que foi ao inferno*)

Os seis últimos textos são de autores da nova geração, nascidos entre 1956 e 1974. É a sexta geração de romancistas, entendida a palavra geração, neste contexto, como sinônimo de convivência e afinidade, além da necessária contemporaneidade.

Obras que integram a presente coletânea

O soldado jogador, de Leandro Gomes de Barros

Rodrigues Carvalho recolheu uma versão em quadras desse famoso romance europeu, denominada Obra de Ricarte, e publicou-a no *Cancioneiro do Norte*. Câmara Cascudo, em *Literatura oral no Brasil*, aponta o texto espanhol *La Baraja*, recolhido por Agustin Duran, no *Romancero general*, e versões argentinas de Juan Alfonso Carrizo, além do romance metrificado por Leandro Gomes de Barros. A contraposição do profano ao divino, presente nas figuras arquetípicas do baralho, associadas ao sagrado pelo esperto soldado Ricarte, é o tema central de todas as versões. Além de *O soldado jogador*, há mais duas versões em cordel, todas posteriores à de Leandro: *O soldado francês e o baralho sagrado*, de José Martins dos Santos, e *O jogador na igreja*, de Antônio Teodoro dos Santos. Este último, acrescido de novas proezas do soldado Ricarte, tem 32 páginas.

História do caçador que foi ao inferno, de José Pacheco

Vinte e quatro de agosto é o dia mais aziago do ano. "É quando o Diabo pode/ Soltar-se e dar uma prosa", conforme se lê na *História do boi misterioso*, de Leandro Gomes de Barros. É proibida, nesse dia, a caça, sob risco de o caçador deparar muitas aleivosias que surgem por arte do tinhoso, temporariamente liberto. O imprudente caçador do título desrespeita o tabu. A superstição do dia de São Bartolomeu é corrente em toda a Europa, donde herdamo-la.

No folheto aqui reproduzido, há ainda outra crença muito difundida entre os devotos do catolicismo popular: a da intercessão da Virgem Maria, que a iconografia católica representa pisando a cabeça da serpente, um dos símbolos do Diabo. Esse motivo, o da Virgem intercessora, foi aproveitado por Ariano Suassuna no *Auto da Compadecida*. José Pacheco é, também, autor de *A chegada de Lampião no inferno*.

A guerra dos passarinhos, de Manoel D'Almeida Filho

É mais uma bela história de exemplo na qual o ditado "A união faz a força" parece servir a um tratado de ornitologia, tão rica é a descrição da fauna alada. Evoca uma cena da infância do famoso autor, em que a surpresa desfaz o aparente absurdo tratado no início da narrativa, e que dá título ao cordel. Manoel D'Almeida Filho, poeta que enxergava além de sua época, concebeu este poema como um livro infantil, que seria publicado pela editora Luzeiro, à qual esteve vinculado por quarenta anos.

A sereia do Mar Negro, de Antônio Teodoro dos Santos

Mais um conto popular em que o animal – neste caso, um cavalo – é o auxiliar mágico. O herói, Joãozinho, por instigação de um servo invejoso, é obrigado por um rei despótico a realizar proezas consideradas impossíveis. Por último, terá de trazer ao dito rei a sereia do Mar Negro, para que este a despose. A irreversibilidade do decreto real – "palavra de rei não volta atrás" – é o artifício de que se vale o herói para burlar o soberano.

Os três irmãos caçadores e o macaco da montanha, de Francisco Sales Arêda

Trata-se da reelaboração de diferentes contos populares, com os três irmãos característicos, as andanças fracassadas dos dois primeiros e a Fortuna a sorrir para o caçula. O macaco do título aparece como auxiliar mágico do herói, espécie de gênio tutelar. Como no romance anterior, há o reino encantado que a perícia do herói deverá desencantar. Francisco Sales Arêda escreveu, na mesma linha, entre outros, *O príncipe João Sem Medo e a princesa da Ilha dos Diamantes* e *O romance de João Besta e a jia da lagoa*.

No tempo em que os bichos falavam, de Manoel Pereira Sobrinho

Fábula que consta da *Disciplina Clericalis*, de Petrus Alphonsus, coletânea do século XII, escrita em latim e publicada na Espanha. O Prof. Paulo Correia, da Universidade do Algarve, Portugal, atesta sua antiguidade pela presença de motivos nas fábulas esópicas. Câmara Cascudo, ao comentar a versão *O bem se paga com o bem*, dos *Contos tradicionais do Brasil*, indica o *Pantchatantra* indiano entre as fontes orientais. Com o mesmo nome, figura nos *Contos e fábulas do Brasil* (Marco Haurélio, 2011), em que o animal ingrato é um jacaré. O folheto de Manoel Pereira Sobrinho apresenta como antagonistas um caçador e uma cobra, em consonância com a classificação internacional do conto popular: o ATU 155 (*A serpente ingrata volta ao cativeiro*).

O valente Felisberto e o Reino dos Encantos, de Severino Borges Silva

O animal como auxiliar mágico, presente em outras narrativas deste volume, é, como vimos, um motivo universal dos contos de fadas. Vladimir Propp estudou-o em *Raízes históricas do conto maravilhoso*, associando-o a ritos fúnebres de tempos bem recuados. O herói, neste romance que aproveita o tema, se vale dos préstimos do rei das formigas, do rei dos peixes e da rainha das abelhas. Em cordel, na mesma linha, ainda podemos citar *O menino das abelhas e a formiguinha encantada*, de João Lucas Evangelista; *História de Belisfronte, o filho do pescador*, de Marco Haurélio; *O príncipe do Barro Branco e a princesa do Vai-não-torna*, de Severino Milanês; e *O Monstro sem alma*, de João Firmino Cabral. Na literatura oral brasileira, é muito conhecido *O bicho Manjaléu*, conto coligido por Sílvio Romero.

O feiticeiro do Reino do Monte Branco, de Minelvino Francisco Silva

Adolfo Coelho, com *O criado do estrujeitante* (*Contos populares portugueses*); Câmara Cascudo, com *O afilhado do diabo* (*Contos tradicionais do Brasil*); e Marco Haurélio, com *O cavalo encantado* (*Contos e fábulas do Brasil*), recolheram da tradição oral portuguesa e brasileira algumas variantes do conto-tipo *O aprendiz de feiticeiro*. O poeta paraibano Joaquim Batista de Sena versou *O grande duelo de São Cipriano contra Adrião, o mágico*. O tema é encontrável, ainda, no *Pantchatantra*, em *As mil e uma noites*, nas coletas de Grimm, Alemanha, e Afanasiev, Rússia. O motivo do duelo mágico aparece também no desenho animado em longa-metragem dos Estúdios Disney, *A espada era a lei* (EUA, 1963, de Wolfgang Reitherman), na disputa entre o Mago Merlin e a Madame Min. O baiano Minelvino era especialista em versar contos de encantamento.

João Sem Destino no Reino dos Enforcados, de Antônio Alves da Silva

A violação de um tabu, punível com a pena de morte, é o motivo central do conto popular aqui recriado pelo imaginoso poeta baiano Antônio Alves da Silva. O tema repete situações do clássico *O rei orgulhoso na hora da refeição*, do cantador maranhense Pedro Rouxinol. A diferença é que, no caso presente, há maior exploração do potencial humorístico da história, o que confere ao herói João Sem Destino características próprias dos *amarelinhos* (João Grilo, Cancão de Fogo e Pedro Malazarte), personagens que vencem os inimigos pela astúcia.

João Grilo, um presepeiro no palácio, de Pedro Monteiro

A história do adivinhão que se vale mais da sorte do que da esperteza, ao menos na primeira parte da narrativa, vem da mesma seara onde Câmara Cascudo recolheu *Adivinha, adivinhão*, arrolado entre os *Contos tradicionais do Brasil*. O motivo central chegou-nos de Portugal, embora seja corrente na tradição oral de vários países, como Itália, França, Noruega e até mesmo a distante Mongólia. Ainda no Brasil, temos *O velho e o tesouro do rei*, dos *Contos populares do Brasil*, de Sílvio Romero, e *O Dr. Grillo*, dos *Contos da carochinha* do pioneiro Figueiredo Pimentel. As ocorrências são muitas, incluindo até uma variante alagoana, *Estória de João Grilo*, recolhida e divulgada por Théo Brandão, em 1954. O adivinhão do título do folheto de Pedro Monteiro é o João Grilo de incontáveis histórias de cordel, a começar pelo clássico *Proezas de João Grilo*, de João Ferreira de Lima, publicado originalmente como *Palhaçadas de João Grilo*, em 1932. Personagem encontradiço nos contos populares portugueses, nas coleções de Consiglieri Pedroso (*História de João Grilo*) e Teófilo Braga (*João Ratão ou Grilo*), a menção mais antiga que conheço é da introdução do *Pentamerone*, de Giambattista Basile (1634-36). Basile nos fala de passagem de certo Maestro Grillo, protagonista de uma obra cômica, *Opera nuova piacevole da ridere de um villano lauratore nomato Grillo, quale volse douentar medico, in rima istoriata* (Veneza, 1519). Grillo, fingindo-se de médico, faz com que uma princesa sisuda ria pela primeira vez. Angelo de Gubernatis, na *Mitologia zoológica*, segundo Teófilo Braga, afirma: "Na Itália, quando se propõe um enigma para ser adivinhado, ajunta-se ordinariamente como conclusão as palavras – *Indovinala, grillo!* (Adivinha, grilo)".[*] Orientalista, Gubernatis, fazendo coro aos estudiosos de seu tempo, associa a expressão ao idiota fingido que acaba por revelar-se esperto, interpretando-o como o sol que, mesmo envolvido na nuvem, ou durante a noite, a tudo vê. Um evidente exagero. Mas a expressão popular vem ao encontro do João Grilo adivinhão que figura, além do folheto de Pedro Monteiro, na última parte das *Proezas de João Grilo*.

---

[*]   BRAGA, Teófilo. *Contos tradicionais do povo português*, v. 1, p. 271, 1883.

O Reino da Torre de Ouro, de Rouxinol do Rinaré

Rouxinol do Rinaré, autor deste romance, se baseou num conto recolhido por Sílvio Romero, *Barceloz*, do já citado *Contos populares do Brasil*. Câmara Cascudo, ao comentar a recolha de Romero, viu neste conto uma influência literária, vislumbrando, porém, elementos populares. É impossível ler a recriação de Rouxinol, que valoriza o onírico, sem vislumbrar um intertexto com *Baman e Gercina* (*O príncipe e a fada*), romance de Leandro Gomes de Barros.

O rico preguiçoso e o pobre abestalhado, de Arievaldo Viana

Mesinha põe-te, burro de ouro e bordão sai do saco é a clássica história dos Irmãos Grimm que trata de objetos como auxiliares mágicos. Na variante baiana dos *Contos e fábulas do Brasil*, *O compadre rico e o compadre pobre*, os objetos são uma toalha, uma bolsa e uma palmatória. Adolfo Coelho coligiu, em Portugal, *A cacheirinha*. Ambientada nos sertões de Pernambuco, a história versada pelo poeta Arievaldo Viana tem como utensílios mágicos um cacho de bananas, uma toalha mágica, uma bolsa que não para de fornecer moedas ao seu possuidor, e um chicote, que pune o invejoso e restitui a justiça. O doador dos objetos mágicos é Nossa Senhora. A preguiça do protagonista, sempre fustigado pela esposa, é tema do folheto de gracejo, *O homem da vaca e o poder da fortuna*, de Francisco Sales Arêda.

O conde mendigo e a princesa orgulhosa, de Evaristo Geraldo da Silva

Evaristo Geraldo da Silva é o autor desta versão rimada de *O conde-pastor*, dos *Contos tradicionais do Brasil*, de Luís da Câmara Cascudo. É o popular *The taming of shrew* (*A megera domada*), de William Shakespeare. Adolfo Coelho divulgou *O conde de Paris* nos *Contos populares portugueses*. Na variante russa recolhida por Afanasiev, a megera é amansada pelo esposo, a quem desprezou no início, puxando um trenó, em pleno verão. O conto em questão ainda responde pelo título de *O rei Barba de Tordo* (*König drosselbart*) na coletânea dos Irmãos Grimm.

Pedro Malasartes e o urubu adivinhão, de Klévisson Viana

Este conto picaresco, adaptado por Klévisson Viana, é o segundo da coletânea de seis que Câmara Cascudo preferiu arrolar entre as histórias de exemplo, nos *Contos tradicionais do Brasil*, indicando correlação com um entremez de Cervantes, *La cueva de Salamanca*, escrito entre 1610 e 1611. O famoso sabichão se vale de um ardil para punir a avareza e o adultério de uma mulher, daí o caráter exemplar da história. Em *Contos e fábulas do Brasil*, a versão *O urubu adivinhão*, recolhida na Bahia, é muito próxima do cordel. Outra versão poética, *Presepadas de Pedro Malazarte*, de Francisco Sales Arêda, traz o motivo encadeado a outras histórias do famoso pícaro.

As três folhas da serpente, de Marco Haurélio

O belo conto de Grimm em que se baseia este romance conserva, em sua essência, a informação de um antigo rito fúnebre que aparece também na quarta viagem de *Simbad, o marujo*: a obrigatoriedade de, morrendo um dos cônjuges, o vivo ser sepultado ao lado do morto. A serpente, em sua ambivalência, aparece aqui como emblema da imortalidade. Ambientada na Irlanda, a versão em cordel traz algumas sutis modificações, sem alteração do motivo principal, encontrável até na mitologia grega.

Antes da leitura, chamo novamente a atenção para a importância desta antologia: é a primeira a cobrir todas as gerações do cordel no Brasil. Os poetas contemporâneos, em especial, quase sempre são deixados de lado pelos estudiosos, que se embaraçam na busca pelas origens do cordel, ou se perdem no labirinto de obviedades dos que confundem este gênero com a poesia matuta ou com o canto improvisado dos repentistas. A publicação, pela Global Editora, da *Antologia do cordel brasileiro*, salda em parte a dívida com estes artesãos do verso, e aponta novas possibilidades no campo da pesquisa. Afinal, tão ou mais importante que saber de onde veio o cordel é descobrir para onde ele vai.

*Marco Haurélio***

** Poeta popular, professor, folclorista e editor, é um dos nomes de maior destaque na literatura de cordel da atualidade. Ministra oficinas e profere palestras sobre literatura de cordel e cultura popular em todo o Brasil. Autor de *Contos folclóricos brasileiros*, *Contos e fábulas do Brasil* e *Breve história da literatura de cordel*, e dos livros infantis *O príncipe que via defeito em tudo*, *A lenda do Saci-Pererê* e *Os três porquinhos em cordel*. Publicou os cordéis *Presepadas de Chicó e astúcias de João Grilo*, *História da Moura Torta*, *Nordeste — terra de bravos*, *Belisfronte, o filho do pescador* e *O herói da Montanha Negra*. Pela Global Editora, publicou *Meus romances de cordel*, uma antologia de suas melhores composições.

O SOLDADO JOGADOR

Leandro Gomes de Barros

Leandro Gomes de Barros nasceu em Pombal, PB, aos 19 de novembro de 1865, e faleceu em Recife, PE, aos 4 de março de 1918. É o maior poeta popular do Brasil, autor de vários clássicos, alguns reimpressos ininterruptamente há mais de cem anos. Depois da sua morte, a viúva, Venustiniana Eulália de Barros, vendeu ao poeta e editor João Martins de Athayde, instalado no Recife, os direitos de publicação de sua obra, e este passou a assinar os títulos como se fossem de sua autoria. O teatrólogo Ariano Suassuna se inspirou em três folhetos de cordel, dois deles escritos por Leandro, para compor a peça *Auto da Compadecida*.

Bibliografia básica: *Alonso e Marina*; *O cachorro dos mortos*; *Juvenal e o dragão*; *A vida de Pedro Cem*; *Peleja de Manoel Riachão com o diabo*; *A vida de Cancão de Fogo e o seu testamento*; *O cavalo que defecava dinheiro*; *Suspiros de um sertanejo*; *Donzela Teodora*; *História do boi misterioso*; *Os sofrimentos de Alzira* e *História de João da Cruz*.

Era um soldado francês
Que se chamava Ricarte,
Jogador de profissão
E nunca foi numa parte
Que não trouxesse no bolso
O resultado da arte.

Os franceses nesse tempo
Tinham por obrigação,
O militar ou civil,
Seguir a religião.
O Papa deitava a lei,
Botava em circulação.

Ricarte, soldado velho,
Com trinta anos de tarimba,
Aonde ele achava jogo
De lasquinê ou marimba,
Dizia logo: — Eu vou ver
Água na minha cacimba!

Um dia faltou-lhe o soldo.
Pôs-se Ricarte a pensar
Onde podia haver jogo
Que ele pudesse jogar.
Era Domingo e a missa
Não havia de tardar.

Dinheiro não tinha um "xis",
A crédito ele nem falava,
Pois o soldado francês,
Na taberna onde comprava,
Só pegava no objeto,
Porém depois que pagava.

Tocou entrada da missa,
Veio o sargento chamá-lo.
Ricarte ainda pediu
Para ele dispensá-lo,
Porém o sargento disse:
— Sou obrigado a mandá-lo!

Ricarte foi para a missa
Com grande constrangimento.
Era obrigado a cumprir
A lei do seu regimento,
Mas não podia afastar
O jogo do pensamento.

O soldado na igreja
Chegou, se ajoelhou,
Trouxe no bolso da blusa,
Um baralho ele tirou
E endireitando as cartas
Uma patota formou.

Não viu que tinha atrás dele
Um sargento ajoelhado
E ali observou
Tudo quanto foi passado
E disse: — Depois da missa
Você está preso, soldado!

Efetuando a prisão
E seguiu no mesmo instante
Foi com o soldado preso
À casa do comandante
Dizendo ter cometido
Um crime muito agravante.

— Pronto, senhor comandante,
Está aqui preso um soldado,
Que foi ao templo ouvir missa
Lá estava ajoelhado
Encarmassando um baralho
Que traz no bolso guardado

Perguntou-lhe o comandante:
— Quem deu-te esta criação?
Disse Ricarte: — Senhor,
Se ouvisse minha razão,
Eu lhe dizia o motivo
Que existe pra esta ação.

— Que motivo tem você
Sabendo que é proibido?
Ignora que o jogo
No exército é abolido?
Disse o soldado: — Meu jogo
Muda muito de sentido...

— Muda de sentido, como?
Disse Ricarte: — Eu direi;
— Pois explique como é,
Porque eu o ouvirei.
Depois da explicação,
O solto ou castigarei!

Disse o soldado: — Primeiro,
É preciso confessar
Que ganho um soldo mesquinho
E esse soldo não vai dar
Para eu comprar um livro
Para na missa rezar!

Por isso compro um baralho
E rezo nele constante.
— Que reza há num baralho?
Perguntou o comandante,
— Há tudo da escritura
Velha, nova, assim por diante...

Então disse o comandante:
— Você vem errado a mim.
Disse o soldado: — Eu explico,
Do princípio até o fim.
— Como é essa oração?
Disse o soldado: — É assim:

Por exemplo: a carta *Ás*,
Que tem um ponto somente,
Faz recordar que existe
Um só Deus Onipotente.
Quando chamamos por Ele
O encontramos presente.

25

Quando eu pego no *2*,
Ali premedito eu
Que em duas tábuas de pedra
O Criador escreveu
Quando em sarças ardentes
A Moisés apareceu.

Quando eu pego no *3*,
Me recordo a Divindade,
Por exemplo: as três pessoas
Da Santíssima Trindade,
Que nós todos conhecemos
O Espírito, o Filho e o Padre.

O *4* lembra-me as quatro
Marias de Nazaré,
Que foram Maria Alfa
E Maria Salomé,
Madalena e a Virgem Pura,
Esposa de São José.

O *5* me faz lembrar
Aquele dia de fel,
As cinco chagas de Cristo
Feitas por mão tão cruel,
Que matou crucificado
O filho do Deus de Israel.

Quando eu pego em *6* de ouro,
Faço premeditação:
Seis dias o Senhor gastou
Na obra da Criação
Formou tudo quanto existe
Sem em nada pôr a mão.

O *7* lembra-me a hora
Negra, triste, amargurada:
Os sete passos de Cristo
Em sua paixão sagrada.
Com sete espadas de dores
A Mãe de Deus foi cravada.

No *8*, vejo as pessoas
Que do Dilúvio escaparam:
Noé, a mulher, três filhos
E três noras se salvaram.
O resto as águas cobriram,
Onde todos se afogaram.

Quando eu pego no *9*,
Vejo na imaginação
Os nove meses ditosos
Da divina encarnação
Que Jesus passou no ventre
Da Virgem da Conceição.

Quando eu pego no *10*,
Não posso ali me esquecer:
Dez mandamentos ficaram
Para o mundo se reger.
Os dez se encerram em dois;
Todo mundo pode ver.

Quando eu pego no *Rei*,
Me lembro do Rei da Glória,
O ente mais poderoso,
Que já vimos na História,
Que não precisa soldado
Para alcançar a vitória.

Quando eu pego na *Sota*,
Me vem lembrança daquela
Que toda Jerusalém
Enriqueceu só com ela:
Aquela que deu à luz,
Ficando a mesma donzela.

Eis aí, meu comandante,
As razões do seu soldado.
Não posso comprar um livro,
Meu soldo é muito mirrado.
Compro um baralho onde rezo
Porque só custa um cruzado.

Então disse o comandante:
— Em todas cartas falaste.
Te esqueceste do *Valete*?
Foi por que não te lembraste?
Não é também uma carta,
Por que não apresentaste?

Disse o soldado: — Essa carta
É uma carta ruim,
Eu quando compro baralho
Tiro ela e dou-lhe fim.
Tem traços deste sargento
Que denunciou de mim.

Disse o comandante a ele:
— Ricarte, tu és passado.
Teus trinta anos de praça
Foi tempo bem empregado,
Vou-te passar a sargento
E dou-te o soldo dobrado.

História do caçador que foi ao inferno

José Pacheco

José Pacheco da Rocha nasceu no município de Correntes, PE, aproximadamente em 1890, e morreu em Maceió, AL, aos 27 de abril de 1954. Outras fontes o dão como natural de Porto Calvo, AL. Poeta popular imaginoso, caracterizava-se pela exploração de temas jocosos, gênero no qual ainda não foi superado.

Legou à posteridade, entre outros títulos: *A princesa Rosamunda e a morte do gigante*; *História de Vicente e Josina*; *História do caçador que foi ao inferno*; *Grande debate de Lampião com São Pedro*; *A chegada de Lampião no inferno*; *Os prantos de Cacilda e a vingança de Raul*; *A Mãe do Calor de Figo*; *A intriga do cachorro com o gato* e *A festa dos cachorros*.

Desapareça a mentira,
Triunfe a santa verdade!
Devemos regozijar
A velha realidade –
Corta-se o tronco da árvore
Que brota imoralidade!

Deus aborrece a mentira,
Despreza a quem falso jura,
O perverso é abatido.
O vil não terá ventura –
Segundo o que está escrito,
Nas páginas da escritura.

Porém a época nos trouxe
Grande *corrução* fatal:
Malvadeza e falsidade,
A perjura, a imoral –
A mentira reina hoje,
Geralmente universal.

É raro se ver um homem,
Rico ou pobre, seja quem,
De um coração generoso,
Que só premedite o bem –
O critério, a consciência,
Não se sabe hoje que tem!

Eu, que sou consciencioso,
De mentir não sou capaz,
Pois, no traçar de meus versos,
Grande desprazer me faz,
Porque dizem que o poeta
Cada qual que minta mais!

Vezes que até me acanho
De narrar certo passado,
Porém, vou descrever este,
Que antigamente foi dado –
Cena que, quando recordo,
Me sinto atemorizado.

Um homem que existia
Naquela época passada
Tomou como profissão
A diversão de caçada –
Às vezes caçava só,
Por lhe faltar camarada.

Uma vez, estava só,
Cumprindo o destino seu.
Um cão que lhe acompanhava
Uivou, ganiu e correu –
Com menos de dois minutos,
Ele desapareceu.

Tinha o nome de Valente,
Este nome que quadrava,
Porque ele, estando solto,
Na porta ninguém passava,
Entrava em furna de pedra,
Puxava onça e matava.

Raposa e gato do mato
Não pegavam criação.
No terreiro de seu dono
Não encostava ladrão.
Vizinhos ali de perto
Tinham a mesma proteção.

Porém, deixemos ficar
Valente e o furor seu,
Tratemos sobre a história
De que forma aconteceu,
Num dia que muita gente
Teme São Bartolomeu.

Quando o cachorro correu,
Saiu em sua procura,
Desceu numa grota funda,
Mata virgem, muito escura –
Lugar que ninguém sentia
Do sol a menor quentura.

Podiam ser mais ou menos
As oito horas do dia,
Reinava grande silêncio
E Valente não latia –
Também, que fosse de noite
A grota já parecia.

Ali, no cento da mesma,
Ouviu tremendo rosnado
E disse com seus botões:
— Valente está acuado! –
Pois, leitor, quem anda aos porcos,
Lhe ronca pra todo lado.

Também não teve demora,
Foi ver apressadamente –
Era uma grande furna,
De uma onça certamente,
O rangido, sem cessar,
Brandia forçosamente.

Enquanto aquele rangido,
Pôde calcular que era –
Valente, que estava dentro,
Agarrado com a fera.
Que ele o estrangulasse,
Então ficou à espera.

Depois resolveu entrar,
Porém temia a desgraça,
Mas, não entrando, perdia
O seu cachorro de caça –
Perdendo, não encontrava
Outro de tão boa raça.

Levantou a mão ao céu
E fez uma petição.
Disse: — Oh! Virgem Maria!
Dai-me vossa proteção!
Nesse ato temerário,
Sede minha redenção!

Botou o punhal nos dentes,
O bacamarte na mão,
Marchou dentro da caverna,
Dobrou a escuridão,
Auxiliou-se com fósforos
De onde procede o clarão.

Andando e riscando fósforos
Com o bacamarte armado,
Deixando bocas de furnas
De um e de outro lado –
Enquanto o grande rugido
Cada vez mais alterado!

Depois, ficou no escuro,
Todos os fósforos queimou,
Apesar da escuridão,
Porém, não desanimou,
Confiando nos prodígios
Da Virgem a quem implorou!

Porém, naquele momento,
Uma mão fria e gelada
Sentiu topar no seu peito
Com força e muito pesada –
Como quem vinha dizer-lhe
Que esbarrasse a jornada.

E transformou-se o gemido
Em choros descomunais,
Qual um ente que sofria
Sob penas infernais.
Então sua consciência
Pediu pra não seguir mais.

Voltou apalpando as pedras,
Andou muito e apressado,
Mas nada de acertar
O lugar que tinha entrado,
Devido a bocas de furnas
Que tinha de cada lado.

Já muito desanimado,
Para um lado foi marchando.
Ali sentiu um mau cheiro,
Como de enxofre queimando
E uns berros de horrores,
Como de um bode apanhando.

E viu um clarão tingido,
Um grande portão fechado
Que guarnecia a um prédio
Muito velho e maltratado –
Conheceu que tinha gente,
Por fazerem um resmungado.

Bradava uma fala triste,
Fanhosa e aborrecida.
Cismou que aquilo fosse
Fantasma de outra vida –
Porém, tudo não faz conta,
Quando a coisa está perdida.

Bateu no dito portão,
Pedindo ser protegido.
Lhe perguntaram: — Quem é?
Respondeu: — Um desvalido
Que anda aqui nessas trevas,
Completamente perdido!

— O senhor está protegido!
Lhe responderam assim.
Quem bater em nossa porta,
Vindo recorrer a mim,
Digo com entusiasmo –
Não há mais tempo ruim!

Então abriram a porta
Quem lhe veio receber
Era uma mulher velha –
Ao vê-la, ele quis correr,
Porém, pensou que correndo
Pior poderia ser.

Fingiu que estava animado,
Ela mandou ele entrar,
Nuns esqueletos de ossos
Mandou ele se assentar
E lhe obrigou também
A sua vida contar.

Andou dizendo umas coisas,
Mas quase sem teoria,
Porque, com o aspecto dela,
Qualquer um esmorecia!
O leitor tenha cuidado,
Não tope com ela um dia!

Era alta e muito seca,
Cadê pé um esporão,
A cintura de macaco,
A cauda varria o chão,
Vomitando pela boca
Borra de cinza e carvão.

A bruta, olhando pra ele,
Lhe disse com grande empenho:
— Fique aí, eu vou lá dentro,
Não saia que eu já venho —
Vou chamar o meu marido
E uns filhos que aqui tenho.

Quando a tal peste saiu,
Ele viu-a por detrás
Fumaçando pelo fundo,
Como um bueiro faz.
Ele disse: — Esta malvada
É a mãe de Satanás!

Voltou a dita trazendo
Um feio velho de lado,
Mancando como quem estava
De uma perna *espaduado*.
Dos mesmos troços da outra
Ele era assinalado.

Foi chegando e perguntou-lhe:
— Conhece este pedestal?
Ele respondeu que não,
Não sei se fez bem ou mal –
Mas viu que era o inferno
E ele era o maioral.

Disse o bicho: — Eu vou mostrar-te
Para ficares ciente.
Derrubou uma empanada,
Que amparava na frente,
Mostrando-lhe o interior –
Viu tudo perfeitamente.

Tinha uma placa confronte
Onde visível se lia:
Vala de Pena Infernal –
Assim o quadro dizia.
Um pedestal pertencente
Ao pessoal da orgia.

— Vamos andar lá por dentro!
O marido assim chamou.
Ele disse que não ia,
Aquele então obrigou,
Lhe prometendo castigo
Se lhe dissesse "não vou".

Viu a alma de um bêbado
Bebendo azeite fervido;
Dois diabos, ainda moços,
Da cor de feijão cozido,
Obrigando a um cangaceiro
Beber chumbo derretido.

Viu a alma de um ferreiro
Chegar nessa ocasião;
Caim pegou-a no braço,
Trancou-a numa prisão;
Depois fez ela engolir
Meia arroba de carvão.

Tem Rabicho e Cabeçote
Dois diabos da mesma lista –
Estes fizeram uma corda,
Enforcaram um maquinista
E arrancaram também
A língua de um prestamista.

Um vendilhão de miúdos
Sofreu martírio tamanho:
Bodoque, outro diabo novo,
Pegou ele e deu-lhe um banho,
Dentro de água fervendo,
Numa caldeira de estanho.

Cuscuz, outro diabo velho,
Da venda de tabaqueiro,
Esse então ia montado
Na alma de um cambiteiro
Com um topador na mão,
Ferroando a de um carreiro.

Tem um diabo cinzento,
Com o nome de Canguinha –
Viu esse arrancar as unhas
De um ladrão de galinha,
Depois sapecar as barbas
Dum vendedor de farinha.

Um marcador de quadrilha
Chegou naquele momento,
Gongo, um diabo malvado,
Que não tem comportamento,
Pregou-lhe um espeto quente
Aonde escapole o vento.

Afinal, viu muitas almas
Sofrendo grande tormento,
Fora outra quantidade
Que tem num compartimento –
Pelo barulho que fazem,
Parece ser mais dum cento.

Tem ladrão e assassino
E também quem jura falso,
Filho desobediente
Que morreu no cadafalso;
Desta forma existem muitas
Na sombra do negro laço.

Essas moças vaidosas
Que trajam muito incapaz,
Mandam cortar seus cabelos,
Em seu caráter desfaz –
Essas estão arquivadas
No livro de satanás.

Tem de passar grande pena.
Nas garras de Lucifer;
Mulher que engana o marido,
Porque Jesus não a quer –
Agora, já não faz mal
Marido enganar mulher!

Leitor, aqui faço ponto.
No caçador vou tratar,
Mesmo sua salvação
É necessário citar –
Depois de tantos horrores,
Como pôde se salvar.

Chegou uma mulher alva,
Com um rosário na mão,
Toda vestida de azul,
Encostou-se no portão
E disse assim: — Acompanha-me,
Vim salvar-te do vulcão!

Satanás ainda disse,
Com seu gesto triste feio:
— Também aquela mulher,
Se mete em todo paleio!
Eu tenho raiva de casa
Que toma o que é alheio!

39

A Virgem não ouviu mais,
Porque já ia distante
E a mesma fez a furna
Tão clara qual diamante.
Seguiram o seu destino,
Pois o Mistério Divino
Sempre nos salva e garante.

Transpassou-se de alegria,
Por tão ditoso ter sido.
Também a Virgem ausentou-se
Sem o qual ter pressentido –
Em sua perturbação,
Fez a imaginação
Que ela tinha subido.

O cachorro estava em casa,
Tudo direito e na paz,
Ele contou o passado
Jurou de não caçar mais –
Morreu na decrepitude
E nem pato no açude
Caçava os seus iguais.

Leitor, se és caçador,
Atende um conselho meu –
No dia que se disser:
"Hoje é São Bartolomeu",
Guarda tua munição,
Esconde o teu mosquetão,
Amarra o tubarão teu.

Quem comprar este livrinho,
Terá Deus por defensor –
E quem não comprar terá
O diabo por protetor!
Pra onde for se atrasa,
Finda parando na casa
Que parou o caçador!

A GUERRA DOS PASSARINHOS

Manoel D'Almeida Filho

Manoel D'Almeida Filho nasceu em Alagoa Grande, PB, aos 13 de outubro de 1914, e faleceu em Aracaju, SE, onde se estabelecera, com uma banca de folhetos no Mercado Municipal, aos 8 de junho de 1995. Entre 1965 e 1995, foi revisor e selecionador de textos da editora Luzeiro, de São Paulo, onde publicou boa parte de sua conceituada obra, constituída predominantemente de romances de encantamento, histórias de amor, de valentia e biografias de cangaceiros.

É autor de vários clássicos do cordel, incluindo: *Vicente; o rei dos ladrões*; *A sorte do amor*; *Os cabras de Lampião*; *Josafá e Marieta*; *Os três conselhos da sorte*; *Jesus Cristo e o mestre dos mestres* e *Os quatro sábios do reino*.

Até hoje nesta vida
A minha mente não cansa
De guardar alguns passados
Na gaveta da lembrança,
Dramas que foram vividos
No meu tempo de criança.

Quando eu tinha mais ou menos
De oito a dez anos de idade,
Tinha uma vida inocente,
Sem entender a maldade;
Olhando em todos os ângulos
Só via a felicidade.

No quintal da minha casa
Existia um juazeiro
Alto, bonito e frondoso
Que sombreava o terreiro,
Por isso era para os pássaros
Um abrigo verdadeiro.

Faziam dele morada
Centenas de passarinhos
Casados, que lá viviam
Por entre folhas e espinhos;
Para a criação dos filhos
Construíram belos ninhos.

Esses ninhos eram feitos
De folhas secas e palhas,
Gravetos e algumas fibras,
Tecidos sem haver falhas,
Servindo à procriação
Dos seus donos, pelas galhas.

Do frondoso juazeiro
Onde as rolas juritis
Viviam com os canários,
Os xexéus, os colibris,
Os chorrós, as patativas,
Os vem-vens, os bem-te-vis.

Guriatã, anum-preto,
Bem-te-vi-carrapateiro,
Japu, bicudo-encarnado,
Bico-de-agulha, ferreiro,
Graúna, pitiguari
E sabiá-verdadeiro.

Também casaca-de-couro,
Sebite, papa-capim,
Anum-branco, arumará,
Pássaro-preto, chupim.
Xexéu-bauá, tico-tico,
Azulão, japacanim.

Bico-de-brasa, tiziu,
Bicudo-preto, coleira,
Sabiá-branco, japim,
Pintassilva, lavandeira,
Sabiá-gongá, sanhaço,
Jacuçu, fura-barreira.

Era assim o juazeiro
Muito lindo ao amanhecer:
Os passarinhos cantando
Unidos pelo prazer,
Com suas vozes sonoras,
Assistindo ao sol nascer.

Os cantos eram puxados
Pelos galos-de-campina,
Corrupiões, joões-de-barro,
Pitiguaris da colina
E dezenas de canários;
Era uma orquestra divina.

Era assim todos os dias:
Nas tardes e nas manhãs,
Ouviam-se os musicais
Dos belos guriatãs,
Acompanhados de longe
Pelas lindas jaçanãs.

Ficava todo enlevado
Quem ouvia aqueles hinos
Entoados pelos pássaros
Com os acordes divinos,
Que eram mais embelezados
Pelos clarões matutinos.

Era o que me acontecia
Debaixo do meu lençol
Eu já me acordava ouvindo
O canto do rouxinol,
Acompanhando os demais,
Saudando o sair do Sol...

Era um dia de domingo,
Mamãe acordou-se cedo
E com papai fora à roça;
Na ladeira do lajedo.
Ouvindo a festa dos pássaros,
Acordei-me sem ter medo.

As minhas duas irmãs
Ainda muito pequenas,
Maria José e Hermínia,
Dormiam calmas, serenas,
Sem ouvir os passarinhos
Soltando as notas amenas.

Quando saí no terreiro
Da cozinha, observei:
Uma coisa diferente
Entre os pássaros notei;
Como nunca tinha visto,
A novidade estranhei.

Eram muitos passarinhos
Como que de revoada,
De diversas qualidades,
Unidos numa passada;
Com piados estridentes
Faziam a maior zoada.

Sanhaçus e bem-te-vis,
Canários, galos-de-serra,
Seguidos por outros pássaros,
Soltavam gritos de guerra
Com cada voo tão rasante
Que quase topavam a terra.

Circulando o juazeiro,
As nuvens de passarinhos
Davam mergulhos nas folhas,
Passavam pelos espinhos,
Como combatendo um bicho
E defendendo os seus ninhos.

Em ataques sucessivos
Muitos voavam, subiam;
Nos ares fechavam as asas,
Em queda livre desciam;
Num galho de juazeiro
Com toda a força batiam.

Muitos deles, nas batidas,
Como com garras de aço
Topavam no mesmo canto
Que parecia um inchaço –
Saíam folhas e penas,
Voavam pelo espaço.

Sim, porque os passarinhos
Num só rumo convergiam,
Como numa coisa fofa
Todos com raiva batiam;
No balanço das topadas
Penas e folhas caíam.

Os grupos de combatentes
Por vários lados chegavam,
Em reforços sucessivos
Que no vaivém não paravam;
Num rodízio permanente
Pelos flancos atacavam.

Cada vez mais aumentavam
Gritos nas evoluções
Dos passarinhos valentes
Unidos em batalhões,
Embora que divididos
Em diversos pelotões.

Sem saber o que era aquilo,
Ouvindo grito e mais grito,
Eu fiquei extasiado.
Embora achasse bonito,
Não sabia se era festa
Entre todos ou conflito!

Enquanto eu nada entendia,
Continuava a batalha
Ininterruptamente
Como que de galha em galha,
Onde guerreiro nenhum
Poderia mostrar falha.

Sem haver definição,
Tão enlevado eu estava,
Dentro da minha inocência,
Que nem raciocinava
O que poderia ser...
Enquanto o tempo avançava.

Nisso, como numa peça
Teatral vem novo ato,
Aconteceu o fenômeno
Que me pôs estupefato...
Só quem viu aquele quadro
Pode descrever o fato.

Uma cobra caninana
Do juazeiro caiu,
Com um metro mais ou menos –
A minha vista mediu –
Dura como um pau, sem vida;
Por isso não se buliu.

Já perto da cobra morta,
Ainda não entendi
O porquê daquilo tudo;
Peguei um pau e bati
Nela, porém mesmo assim,
Nada não compreendi.

Como por encanto os pássaros
Foram logo debandando,
Só ficaram os moradores
Do juazeiro cantando
Os seus mais sonoros cânticos,
Como que comemorando!...

Eu cá fiquei matutando.
Assim que mamãe chegou,
Lhe mostrei a cobra morta,
Contei o que se passou;
Ela com experiência
Todo o mistério explicou:

— Esta cobra é caninana,
Ela come os passarinhos...
Principalmente persegue
Ovos e filhos nos ninhos,
Sem respeitar os perigos,
Embaraços nem espinhos.

Quando se sente atacada,
De raiva endurece à toa,
Mas antes de ficar dura
Ataca a qualquer pessoa,
No fim, quando não suporta,
Ou morre de raiva ou voa...

Dessa vez ela seguia
Já em procura dos ninhos
Para comer os filhotes
E os ovos dos passarinhos,
Que, se unindo, conseguiram
Tapar todos os caminhos.

Quando os passarinhos viram
De frente a frente o perigo,
Tocaram suas cornetas
Convidando a cada amigo
Para juntos combaterem
O mais perverso inimigo.

Foi assim que conseguiram
Salvar toda a filharada
Daquela serpente que
Morreu de raiva, bicada
Pelos heróis que deixaram
A morta toda arranhada.

A quem luta pela vida,
Leitor, seja solidário;
Mostre que uma raça unida
Enfrenta e mata um sicário –
Isso, acabando as serpentes,
Defendendo os inocentes
Até fora do horário.

A Sereia do Mar Negro

Antônio Teodoro dos Santos

Antônio Teodoro dos Santos nasceu em Jaguarari, BA, aos 24 de março de 1916, e morreu em Senhor do Bonfim, no mesmo estado, em 23 de dezembro de 1981. Foi vendedor de folhetos de versos populares, além de poeta. Autor bastante fecundo, escreveu *Vida e tragédia do presidente Getúlio Vargas* (publicado pela editora Prelúdio em 1954), da qual se venderam 260 mil exemplares somente na primeira edição. Estabelecido em São Paulo, serviu de consultor à editora Prelúdio, antecessora da Luzeiro, no início da década de 1950.

Bibliografia básica: *João Soldado, o valente praça que meteu o Diabo num saco*; *Maria Bonita, a mulher cangaço*; *Dioguinho, o terrível bandoleiro*; *Piadas do Bocage*; *O jogador na igreja* e *Lampião, o rei do cangaço*.

Ninguém se queixe da sorte
Que morada ela não tem.
Às vezes pode baixar
Na casa dum João-Ninguém,
Afugentando a miséria,
Deixando a estrela do bem.

Era um casal pobrezinho
Que vivia numa aldeia
Do qual nasceu um filhinho
Lindo como a papa-ceia:
Trouxe a sorte de monarca
Esposo de uma sereia.

Era tão pobre essa gente
Que não achava padrinho
Pra dar o santo batismo
Ao seu amado filhinho.
Foi o jeito oferecê-lo
A um mendicante velhinho.

O velhinho respondeu-lhes:
— Batizo de coração.
Disto só tenho um pesar:
Não posso dar proteção,
Mas vou dar, de todo gosto,
Para ele este tostão.

Foi guardado esse dinheiro
Com muito gosto e carinho.
O menino foi crescendo,
Já estava rapazinho,
Quando chega a sua porta,
Num cavalo, outro velhinho.

— Quer comprar este cavalo?
O velho o interrogou.
— Por quanto o senhor o vende?
O rapaz lhe perguntou.
— Pelo que você possui
Este animal eu lhe dou.

53

O rapaz disse: — Senhor,
Eu só possuo um tostão.
O senhor disse que dá
Pelo que tenho na mão;
Se garantir a palavra,
Não adianta questão.

O velho disse: — Garoto,
Minha palavra é um tiro.
Já disse, digo e sustento:
O prejuízo prefiro
Do que dizer uma coisa,
Depois tomar outro giro.

Pega o jovem seu cavalo
Saltando de alegria.
Fez o seu plano de noite;
Quando foi no outro dia,
Participou a seus pais
Que viajar pretendia.

Eles assim perguntaram:
— Joãozinho, qual é teu norte?
Ele disse: — Pelo mundo
Irei em busca da sorte,
Montado no meu cavalo –
Não quero melhor transporte.

Ambos bastante choraram
Mas não puderam privá-lo.
Ele sumiu na estrada
No lombo do seu cavalo,
Que de longe se ouvia
No pedregulho o estalo.

Nos três dias de viagem
Em uma verde campina,
Aonde o Divino Mestre
Dera a cor esmeraldina,
Bordando o campo de flores
E o céu de pura anilina.

Joãozinho ia descuidado
Naquele belo lugar,
Porém, ouviu de repente
O seu cavalo falar,
Dizendo: — Joãozinho, ouça
Tudo que vou lhe explicar.

Veja quando eu tropeçar,
Você desça bem ligeiro.
O que eu levantar dos cascos
É um condão verdadeiro:
Pegue e guarde com cuidado –
Não é presente agoureiro.

É certo que no começo
Você terá de sofrer,
Mas toda dor tem alívio,
Como se ouve dizer:
Todos os grandes perigos
Você há de resolver.

Naquilo o dito cavalo
Quase quebra o cabelouro,
Tropeçando numa pedra,
A pedra deu um estouro,
Aparecendo na areia
Bonita pena de ouro.

Joãozinho saltou no chão,
Ligeiro pegou a pena,
Embrulhou num lenço branco,
Pôs na algibeira pequena.
Parecia tão macia
Como as flores da verbena.

O cavalo viajou
Sem desmantelar o jogo,
Dizendo: — Joãozinho, agora
Você é um pedagogo.
Tens a pena milagrosa
Do grande Pássaro de Fogo.

Não tardou muito, chegaram
Em uma grande cidade.
Passando junto ao castelo
Da imperial majestade,
O soberano falou-lhe,
Com um gesto de amizade.

— Belo moço, aonde vais
Nesse cavalo tão forte?
Ele disse: — Majestade,
Vou aventurar a sorte.
Deus há de me proteger
Seja no sul ou no norte!

O rei disse: — Por acaso,
Já que não tens compromisso,
Não quererias ficar
No reino e no meu serviço?
Você tem bela aparência —
Eu só lhe falo por isso!

Joãozinho disse ao monarca:
— Eu fico com a majestade
Preciso de trabalhar,
Pois tenho necessidade —
Peço a Deus que me ajude
Fazer o que vos agrade.

O rei disse: — O seu trabalho
É serviço de cocheira:
Zelando dos meus cavalos
Escovando de maneira
Que não se ache uma nódoa,
Dando ração de primeira.

Varrer bem a manjedoura
Três vezes diariamente,
O banho dos animais,
Sendo cuidadosamente,
Depois borrifar perfume
De madeira do Oriente.

Joãozinho entrou em serviço
Zelando dos animais.
Zelava também o seu,
Que engordava mais e mais –
Era mais na boniteza
Do que os potros reais.

Nos trinta dias que ele
Desses cavalos tratava,
Os animais progrediam,
De forma que admirava
O rei dizia que João
Era quem o agradava.

Um empregado invejoso
Disse: — Só sendo mistério
Nós trabalhamos igual
A esse que se julga sério.
Ele, além de ser novato,
Agrada mais ao império.

João pernoitava junto
Dos animais do seu amo
A fim de eles não quebrarem
De peso apenas um *gramo*
E afugentar pernilongos,
Que de *muriçocas* chamo.

Logo à boquinha da noite
Escondeu-se o invejoso
Num feixe de capim-verde,
Que havia naquele pouso,
A fim de ver se Joãozinho
Era algum misterioso.

Mais tarde, Joãozinho entrou
E os cavalos penteava
Com sua pena de ouro
Que grande prodígio dava:
Era um brilho tão intenso
Que a cocheira iluminava.

O sujeito observava
Tudo quanto se passou.
Quando João adormeceu,
Ele ligeiro furtou
A linda pluma de ouro,
Para o monarca a levou.

O monarca, vendo a pena
E com toda informação,
Disse: — Joãozinho merece
Uma grande punição,
Porque escondendo a pena
Faltou-me com atenção.

E logo mandou chamar
O inocente do João,
Dizendo: — Tu só mereces
É levar peia na mão,
Porque a pena ocultava
Do teu rei e teu patrão.

Ele disse: — Majestade,
Não pensei que era errado.
Essa pena foi achada
Num lugar muito afastado
E tem servido bastante
Ao vosso grande reinado.

Disse o rei: — Só te perdoo
Se me buscares primeiro
O Passarinho de Fogo,
Nem que seja no estrangeiro.
Se uma pena é bela assim
Quanto mais o pássaro inteiro!

João voltou à estrebaria
Onde estava o seu cavalo,
Que, o vendo assim tão aflito,
Tratava de consolá-lo,
Dizendo: — O Pássaro de Fogo
Nós temos que encontrá-lo.

Peça ao rei que ele lhe dê
Uns grãos de trigo de ouro,
Muitíssimos fios de seda,
Um bom alforje de couro,
Com muita comedoria,
Que a viagem é um estouro.

Ele foi e disse ao rei:
— Meu senhor, vou lhe pedir
Uns grãos de trigo de ouro,
Comida pra me servir,
Diversos fios de seda,
Que o pássaro terá de vir.

Depois de tudo arrumado,
João montou no seu cavalo.
Não precisava bater,
Pois ele era como ralo
E do lado que era liso,
Nem mesmo esporão-de-galo!

Dois dias e duas noites
Viajaram sem parar,
Avistaram uma montanha,
Antes da beira do mar:
Era a Colina de Ouro,
Tão bela de se abismar.

Ali havia uma fonte
Bem no cume da colina:
Era lagoa encantada
D'água doce e cristalina,
Onde as aves se banhavam
Pelas noites de neblina.

Antes de descer a noite,
João espalhou os grãozinhos,
Fez uma rede de fios,
Unidos e tecidinhos,
Ficando sentado e calmo,
Esperando os passarinhos.

Lá para as tantas da noite
Ele viu relampejar,
Mas viu que não tinha nuvens
Nem queria trovejar:
Era um bando de pássaros
As serras a clarear.

As aves, chegando ali
Pra beber na linda fonte,
Viram sementes de ouro,
Espalhadas nesse monte.
Foram catando entretidas,
Sem olhar o horizonte.

Ele jogou a redinha,
Nessa hora de prazer.
Como que por um mistério,
Ouviu um pássaro gemer:
Era o Pássaro de Fogo
Que a rede vinha a trazer!

Estando bem amarrado,
O cavalo ali chegou.
Joãozinho passou-lhe a perna,
Ele logo desertou
Para o palácio do rei,
Que poeira levantou.

Chegando, João entregou
O passarinho ao rei.
Este disse: — Mas, Joãozinho,
Você é homem de lei.
Tenho diversos presentes,
Que com gosto lhe darei!

Então o servo invejoso
Disse: — E o rei meu senhor
Supõe que só esse pássaro
Tem semelhante fulgor?
A sereia do Mar Negro
Tem mais beleza e amor.

Joãozinho disse que sabe
Onde é a morada dela,
E se quisesse pegava
Essa tão linda donzela,
Que habita no rochedo
Onde o mar se encapela.

O rei disse: — Chame ele!...
Logo o criado atendeu.
Não demorou dez minutos,
João a ele apareceu.
Disse o rei: — Pra não morrer,
Faça este mandado meu:

Você diz que sabe bem
Onde mora uma sereia:
Nos rochedos do Mar Negro,
Linda como a papa-ceia
Ou igual às seis da tarde,
Quando surge a lua cheia.

O rapaz quis lhe dizer
Que daquilo era inocente.
Disse o rei: — Se não trouxeres,
Te porei numa corrente
E depois tua cabeça
Rolará incontinenti!

E Joãozinho foi chorando
Visitar o seu cavalo,
Que perguntou: — Meu amigo,
O que fez contrariá-lo?
Será o peste do rei
Que inda quer aperreá-lo?

Disse João o que passou-se
E ele lhe disse assim:
— Diga ao rei que para isso
Quer ouro, prata e rubim,
Tudo em joias fascinantes
De alfinete e querubim.

Depois que tudo obteve,
João montou-se no cavalo,
Que peneirava tão leve,
Que ele não sentia abalo,
Como o vento sibilante
Das serras do Cantagalo.

Depois de galgar montanhas
Picos, rochedos, penhascos
Chegaram ao mar quando a noite
Derramava negros frascos.
Joãozinho estava cansado
E o animal "sem os cascos".

João levava um assobio.
Quando no ponto chegou,
Meia hora mais ou menos,
Ele ali assobiou,
Depois que todas as joias
Sobre uma pedra botou.

A sereia lá no mar,
Quando ouviu o assobio,
Mergulhou pra o lado dele,
Com um rebolado macio
Donzela, virgem dos mares,
E mãe das águas do rio.

Ela vinha acompanhada
Com suas virgens donzelas,
Numa barquinha de ouro,
Vencedora das procelas.
Joãozinho ali acenou
Lindas joias para elas.

A barca foi encostada
Ao rochedo de Vitória.
A beleza da sereia
Ultrapassa toda história.
João lá ficou esperando
A sua estrela de glória.

Ela a João interrogou:
— Que andas fazendo aqui?
Ele disse: — Eu viajava,
Mas o caminho perdi.
Quero vender-te estas joias,
Que só servem para ti.

Ela, parecendo um anjo,
Já se vem toda dengosa.
O seu cabelo sedoso
Cobria a face formosa,
Um calçãozinho de flores,
Cada seio era uma rosa.

Seus lábios eram rosados
Que pareciam romã,
As palmas de suas mãos
Como as nuvens da manhã,
Os seus olhos redondinhos
Como os do curimatã.

Quando ela olhava as joias,
Ele disse: — Meu benzinho,
O que fez eu vir aqui
Foi sonhar com teu carinho.
Se sem você eu voltar,
Morrerei sem ter padrinho!

Meu rei mandou te buscar
Pra no palácio viver.
Somente pela beleza,
Que outra igual não pode ter.
Garanto por tua vida,
Mas sem ti eu vou morrer!

Ela disse para ele:
— Reconheço esta verdade.
Eu não sou monstro marinho,
Sou filha de majestade:
Fui encantada por gênios
Desde a grande antiguidade.

Conversando ainda estavam
Ouviram um berro no mar,
Que as águas assoberbaram,
Como o mundo a se acabar
Ela disse para João:
— O gênio vem nos matar!

Apareceu logo perto
Um monstro de fazer medo:
A cabeça parecia
Um monstruoso rochedo –
Cada tapa no terreno
Derrubava um arvoredo!

A sereia já tremendo
Gritou pelo deus do mar,
Porém João a sua espada
Já tratou de empunhar,
E o monstro de vinte pernas
Pra o lado dele a pular.

João mandou a sua espada
Na cabeça dessa fera,
Mas ela jogava fogo
Igualmente uma cratera,
Quando chegou o cavalo,
Raivoso como pantera.

Aí a luta cresceu,
Foi uma briga danada.
Lutava o monstro no soco,
Joãozinho com a espada.
Ia o cavalo de dente,
Pior era a sapatada.

Certa hora uma espadada
Acertou bem no umbigo.
Furando as tripas, vazou
Uma coisa que eu não digo.
Joãozinho com o cavalo
Venceram seu inimigo.

O monstro, já bem ferido,
Tratou de se retirar:
Encolheu pernas e rabos,
Caiu nas ondas do mar.
Inda hoje no Mar Negro
Vê-se a água borbulhar!...

Uma pedra que voou
Das patadas do cavalo
Pegou no pé da sereia,
Cortando que nem um ralo.
Depois da dor ela riu,
Sentindo o maior regalo.

Porque na hora bendita,
Ela se desencantou.
Se encantada era bonita,
Muito mais se transformou:
Numa pérola divina
Que Vênus dela invejou.

João descansou mais um pouco,
Mas, vendo aquela beleza,
Quis dar um beijinho nela
Mandado da natureza,
Mas lembrou-se do monarca;
Quis honrar a realeza.

Montou-se no seu cavalo,
Pondo a jovem na garupa.
O cavalo, de alegria,
Dava salto, dava upa!
De volta, pulando serras,
Riachos e catadupa.

Quando chegou ao palácio,
Que o rei viu a beleza,
Era a hora do almoço,
Mas levantou-se da mesa
Como que petrificado
Diante da boniteza.

Vendo a face tão rosada,
Cabelinho a nazareno,
De flores do paraíso,
Seu calçãozinho pequeno,
Mostrando pernas macias
Como flores no sereno.

O rei, depois de animar-se,
Disse: — Linda princesinha,
Há muito tempo morreu
Aqui no reino a rainha.
Eu só mandei lhe buscar
Para ser esposa minha.

A donzela respondeu-lhe
— Eu de tudo estou ciente,
Mas tua idade não dá
Porque estás decadente.
Eu sou nova, como vês —
Não é bem conveniente.

O monarca retrucou-lhe:
— Sou velho, porém sou nobre.
Além de ser majestade,
Sou dono de ouro e cobre.
Depois daquilo que afirmo,
Outra fala não encobre!

Ela disse: — Soberano,
Nobreza tenho demais:
Sou filha do rei Netuno,
Das terras orientais.
Fui encantada por gênios
De estirpes infernais.

Conservei a mocidade
Com o elixir milagroso
Que se chama Longa Vida,
Mas está muito custoso.
Mas, se o senhor o arranjasse,
Seria vitorioso.

O rei chamou o criado,
O traidor invejoso,
E perguntou onde tinha,
O elixir milagroso,
Que queria da sereia
Ser o digníssimo esposo.

O criado disse: — João
Falou que sabe onde tem
Esse elixir de prodígio.
Que serve de todo o bem.
Quem tomá-lo viverá
Cinquenta mil vezes cem!

O rei disse: — Vá, Joãozinho,
Me buscar o elixir.
Se não me casar agora,
Tenho de me consumir,
Pois a donzela sereia
É uma estrela a sorrir.

João disse para o cavalo
O mandado do seu rei
Que não trazendo o remédio,
Cumpria a pena da lei!
O cavalo disse: — João,
Em tudo te ajudarei.

Peça ao rei duas garrafas
Que sejam elas tão leves,
Que tenham a imitação
Do peso que tem as neves
E traremos o remédio;
E a mim tu nada deves.

João foi pedir as garrafas,
O rei a ele entregou.
Ele montou no cavalo,
Este logo desterrou.
Emparelhando com o vento,
Pra trás o vento ficou!

Com quatro dias chegou
No Bosque da Maravilha,
Onde havia uns passarinhos
De diferente família,
Que era difícil caírem
Em conversa ou armadilha.

Porém esses passarinhos,
Por meio misterioso,
Possuíam água fluida
No bosque silencioso:
Era o poço de remédio
Do elixir prodigioso.

O rapaz, chegando ali,
Pegou um dos passarinhos.
Ele muito chilreou,
Com grasnado e piozinhos,
Que as aves velhas vieram,
Muito aflitas, dos seus ninhos.

— Solte, solte meu filhinho!
Disse uma ave, chorando
— Só soltarei o teu filho,
João assim foi explicando,
Se me deres do remédio
Para um velho venerando.

O passarinho choroso
Lhe disse: — Nobre senhor,
Para soltares meu filho,
Faço que pedido for,
Pois temos o elixir –
Não precisa usar rancor.

As garrafas amarradas,
O pássaro saiu com elas,
Voou sobre a cordilheira,
Vencendo as fortes procelas,
Foi buscar o elixir
Na fonte das Águas Belas.

Com dez minutos apenas
Lá se vinha o passarinho
Trazendo as duas garrafas
Penduradas num biquinho;
Baixou num ramo de flores,
Deu o remédio a Joãozinho.

Joãozinho, para provar
Deste remédio o valor,
Matou a ave refém,
Depois untou com o licor.
A ave bateu as asas
E disse: — Deus é doutor!

Dizendo isso, voou
Pousando num espinheiro.
O seu pai estava ali
Cantando bem prazenteiro.
Joãozinho disse: — O remédio
É mais do que verdadeiro.

Montou-se no seu cavalo,
Que rasgou o matagal,
Transpôs o Rio de Ouro,
A Montanha do Cristal
E chegou, vitorioso,
No palacete real.

— Caro João, você é o tal!...
O rei assim lhe falou:
Mas só depois que o rapaz
O seu remédio entregou.
Também disse pra sereia:
— Nossa vez hoje chegou.

A sereia disse ao rei:
— Agora pra renovares,
Manda que João te decepe
A cabeça, sem pensares,
Untaremos o elixir
E novo há de levantares.

O rei disse: — Deus me livre
De cortar o meu pescoço!
Casar quero, também quero,
Nesta hora ficar moço,
Mas para chupar a fruta
Eu dela tiro o caroço.

A sereia, que sabia
O valor do elixir,
Disse para o soberano:
— Então João vai consentir
Nós cortarmos seu pescoço
E ele há de ressurgir.

Joãozinho, que tinha visto
A ave ressuscitar,
Consentiu que seu pescoço
Poderia se cortar.
O rei baixou-lhe a espada
Viu a cabeça rolar!...

A sereia, bem depressa,
Pôs o crânio no lugar.
Quando untou o Longa Vida,
Viu o João se levantar,
Tendo no lugar do corte
De ouro um lindo colar.

Vendo o rei esse milagre,
Foi dizendo: — Agora sim!
Quero ser tão atraente
Como anjo querubim.
Ser jovem e ser casadinho
Não acho coisa ruim!

Pode tirar-me a cabeça,
Que o amor é coisa boa.
Ressuscitando recebo
Da juventude a coroa.
Joãozinho, com essa ordem,
Com sua espada cortou-a.

Naquele instante, a sereia
Jogou fora o elixir.
E o velho, decapitado,
Continuava a dormir.
Foi o sono para sempre,
Sem passado e sem porvir.

A donzela disse ao povo
E aos presentes juízes:
— Há pessoas que por gosto
No mundo são infelizes.
Há mestres que na escola
Aprendem dos aprendizes.

Palavra de rei não volta,
O que ele manda se faz.
De tirar sua cabeça
Ele ordenou ao rapaz,
Porém, rei morto, rei posto,
Esta é a lei dos reais.

Este moço é estudado
Também tem dignidade,
Venceu o gênio maldito
E agora a majestade:
É digno de ser o rei
Daqui à posteridade!

Serei eu a sua esposa,
Governaremos na lei.
Ele me fez benefício,
A ele agradecerei.
E viva Dom João Primeiro!
Viva, viva nosso rei!

Nessa grande sugestão
O exército o aclamou,
O povo todo aplaudiu
E a justiça aprovou,
Que entre fogos e vivas
A Joãozinho coroou.

71

O empregado invejoso,
Embusteiro e traidor,
Chegou aos pés de Joãozinho
Dizendo: — Rei, meu senhor,
Quer água para o seu banho?
Já está no aquecedor.

Disse o monarca pra ele:
— Seu emprego continua:
Matar piolho nos porcos,
Catar ovos de perua,
Lavar a estrebaria
E varrer lixo na rua!

O criado, ouvindo isso,
Arribou de mundo afora
Não se sabe do caminho,
Por qual ele foi embora.
Já foi um pouquinho tarde
Pra não morrer nessa hora.

O enlace de Joãozinho
Com a princesa sereia
Foi às dez horas do dia
Na igreja da aldeia;
Convidando a vizinhança,
Era gente como areia.

Dava gosto a gente ver
A princesinha adorada
Com ramalhete de flores,
Além disso, coroada,
O cabelo pelos ombros
Caindo em tranca anelada.

Aquela face rosada
Só tinha o puro perfume,
Quem visse seu ar de riso
Tinha prazer e ciúme,
Seus olhinhos cintilando
Como à noite o vaga-lume.

Leitor, voltemos agora
À praia do grande mar,
Onde a sereia nas ondas
Vinha num barco a remar,
Junto com suas donzelas
Quando ouviu assobiar.

O barquinho era encantado
E as donzelas também.
Era somente a visão
Que todo mistério tem.
Tudo era do reinado
Dessa sereia do além.

O cavalo também era
Um gênio bem transformado.
O velhinho que o vendeu
Era o chefe do reinado.
Joãozinho para a princesa
Já era predestinado.

Prova é que quando o rei,
Depois do seu casamento,
Foi procurar o cavalo,
Não estava no aposento
E não teve mais notícia –
Virou-se em nuvem de vento.

O tostão que o padrinho
De Joãozinho a ele dera
Pelo velho fora achado
Na quadra da primavera
Dentro da areia marítima –
Também encantado era.

O rei não matou João –
E aquele servo invejoso,
Ele também fez a força
De João ser vitorioso.
Do mal é que nasce o bem,
E o bem parece maldoso.

Joãozinho mandou buscar
Os pais para companhia.
A sua esposa fiel
Os quis com muita alegria.
Ainda hoje existem reis
Dessa genealogia.

Aquela pena de ouro
Que João achou na areia
Serviu para ele ser
Monarca de grande aldeia.
Também com ela escrevi
O romance da sereia.

Os três irmãos caçadores e o macaco da montanha

Francisco Sales Arêda

Francisco Sales Arêda nasceu aos 26 de outubro de 1916, em Campina Grande, PB, passando a residir em Caruaru, PE, onde veio a falecer no dia 20 de dezembro de 2005. Foi também cantador entre 1940 e 1954. Manteve, durante muito tempo, uma barraca de plantas medicinais, na feira de Caruaru. O folheto de gracejo *O homem da vaca e o poder da fortuna* foi vertido para o teatro por Ariano Suassuna, seu confesso admirador.

Bibliografia básica: *O príncipe João Sem Medo e a princesa da Ilha dos Diamantes*; *Presepadas de Pedro Malasartes*; *O romance de João Besta e a jia da lagoa* e *O negrão do Paraná e o seringueiro do Norte*.

Quem é poeta não pode
Viver parado de tudo –
Anda muito, fala, mas
Tem hora que fica mudo
Concentrando o pensamento,
Para firmar um estudo.

Por isso, convido a nobre
População para ouvir
Uma história vantajosa,
Que ninguém sabe medir
A distância da idade
Que ela pode existir.

No reino dos Pelicanos,
Lá num recanto habitava
Um velho pobre e três filhos
Que de caça se ocupava –
E pelas matas desertas
Com os três filhos caçava.

Os nomes dos três rapazes
Descrever é necessário:
O mais velho era Gaudêncio,
O segundo Januário,
Então o moço caçula
Chamava-se Gerimário.

Todos três eram dispostos
Na vida de caçadores:
Enfrentavam pelos bosques
Os lobos devoradores,
Nas armas eram conhecidos
Mais destros atiradores.

Um dia, o velho caiu
Nas garras de um leão
E, nessa luta que teve,
Ele perdeu uma mão –
Deixou, porém, os seus filhos
Seguirem a profissão.

Até que um dia eles foram
A uma caçada distante
E Gaudêncio se perdeu
Numa mata *intransitante*.
Voltaram os dois comentando
E o velho chorou bastante.

Nunca mais eles tiveram
Notícia do caçador,
Porque Gaudêncio seguiu
No bosque cheio de horror,
Caiu nas mãos de um gigante
Horrendo e devorador.

O gigante levou ele
Em procura de um rochedo –
Ainda vivo, mas ia
Desfalecido de medo!
Passaram pelo sombrio
De um copado arvoredo.

Na árvore estava um macaco
De um tamanho extravagante
Quando viu Gaudêncio triste,
Levado pelo gigante,
Pulou na frente do monstro
Como guerreiro possante.

Travou-se em luta com ele,
Com uma destreza estranha,
Rasgando o monstro de unhas,
Mordendo como piranha.
O gigante, vendo a morte,
Desabou pela montanha.

O macaco aí falou,
Dizendo a Gaudêncio assim:
— Não desanime da sorte –
Siga aqui, atrás de mim!
Ele seguiu para ver
Sua vitória ou seu fim.

Entraram num grutilhão,
Escuro de fazer medo,
Adiante tinha uma placa,
Na chapa de um rochedo,
Com três letras bem visíveis,
O emblema do segredo.

Disse o macaco: — Olhe ali
As letras daquela corte,
Significam o nome
Reinado Piaças do Norte –
Só entra ali quem tiver
O coração muito forte!

Se você tiver coragem,
Entre que será feliz,
Mas é preciso enfrentar
Um lobo e dois javalis
E lutar com três cavalos,
Dois pretos e um cor de giz.

Quem puder matar o lobo
E os javalis do portão,
Montando num dos cavalos
Corre como um furacão
Até o trono real
Do rei Bertino Leão.

Mas quem não agir as feras
E nem montar no cavalo,
Ficará preso no quarto,
Ouvindo o cantar de um galo,
Só comendo um pão por dia –
E um gigante a tocaiá-lo.

Já lhe expliquei como é.
Cuidado, muito cuidado,
Para não perder a trilha
Neste caminho apertado –
Se as feras lhe agarrarem,
Você será derrotado.

Ali sumiu-se o macaco,
Em menos de um segundo,
O Gaudêncio mergulhou,
Naquele abismo profundo.
A caverna parecia
Os bosques do outro mundo.

Logo na primeira porta
Gaudêncio se encontrou
Com o lobo renitente.
Contra ele se botou –
Foi uma luta tão grande,
Que a caverna azulou.

Mas o lobo, vendo a morte,
Desapareceu em quente.
Gaudêncio seguiu afoito.
Quando chegou mais na frente,
Os javalis foram a ele
Como um cachorro doente.

Aí um sino bateu
Sete pancadas seguidas
E uma voz gritou alto:
— Avancem, feras queridas,
Que a nossa salvação
Vai decidir as três vidas!

Gaudêncio, quase assombrado,
Começou logo a tremer.
Olhava por todo o canto,
Com vontade de correr,
Mas as portas se fecharam
E viu tudo escurecer.

Aí uma ave agoureira,
Soltou um triste gorjeio
E um braço misterioso
Lhe agarrou pelo meio,
Jogou-o dentro de um quarto
Escuro, medonho e feio.

Um galo da cor de bronze
Nessa hora apareceu,
Ao redor dele, cantando,
E um gigante se ergueu,
Soltando esturros enormes,
Que a terra estremeceu.

Era um monstro esquisito,
Todo vestido de tanga,
E trazia uma bandeira,
Vermelha da cor de ganga.
Sentou-se bem junto dele,
Fazendo gesto e munganga.

Ali ficou o rapaz,
Sujeito ao monstro ferino,
Ouvindo o galo cantar
E bater o triste sino –
E todo dia uma voz
Passava cantando um hino.

Com quinze dias depois,
Januário teve um sonho
E viu o Gaudêncio preso,
Todo rasgado e tristonho,
Nos pés de um gigante horrendo
Dentro de um bosque medonho.

De manhã, contou ao pai
O sonho que tinha tido
E disse: — Vou hoje mesmo
De boas armas munido –
Só volto com meu irmão,
Ou ficarei lá perdido.

O velho quis recusar,
Mas ele nada aceitou.
Preparou-se de armamentos,
Ao seu irmão abraçou,
Tomou a bênção ao pai
E pela montanha entrou.

Com dia e meio de viagem,
Sem saber aonde ia,
Recostou-se numa árvore,
No pino do meio-dia.
Nesse momento um macaco
Por um cipoal descia.

Ficou bem pertinho dele,
Prestando toda atenção.
Depois disse: — Você vem
Procurando seu irmão?
Eu sei onde ele está!
E apontou com a mão.

— Lá detrás daquela serra,
Dentro dum quarto trancado!
O rapaz, ouvindo isso,
Ficou muito admirado –
Vendo o macaco falar
E contar todo o passado.

Disse: — Então vamos comigo,
Que muito lhe agradeço!
O macaco disse: — Vamos,
Porque de tudo conheço –
Porém, temos que lutar
Com o gigante Tropeço!

Se nós pudermos vencê-lo,
Será sua salvação,
Mas, se o gigante ganhar
Nessa tremenda questão,
Você também ficará
Preso com o seu irmão!

— Não tem nada! — disse o moço.
Tudo depende da sina!
Seguiram, cortando a serra,
Diante ouviram a buzina –
Era o gigante que vinha
Parecendo uma colina.

Já com a espada em punho,
Avançou para o rapaz.
O macaco deu um pulo,
Agarrou-o por detrás,
O rapaz passou-lhe o ferro –
Não encostou ninguém mais.

Naquela luta, os três,
Faziam o monte zoar.
Depois, o gigante, vendo
Que não podia aguentar,
Desapareceu no bosque,
Mais ligeiro que o ar.

Disse o macaco: — Agora,
Você vai para o portão.
Se puder vencer as feras,
Que vivem de prontidão,
Monte no cavalo e corra,
Que salvará seu irmão!

Januário disse: — Eu vou!
E o macaco sumiu-se.
Assim que foi encostando,
O portão negro abriu-se,
As feras se aproximaram
E o rapaz preveniu-se.

Com dez minutos de luta
O sino oculto tocou,
Os três cavalos chegaram,
Ele de um se aproximou –
Mas, antes de se montar,
Um braço lhe arrebatou.

Naquele choque tremendo,
Não viu o que foi passado.
Então, quando despertou,
Já estava encarcerado
Junto com o seu irmão
E o gigante de um lado.

Ali os dois se abraçaram
Na prisão escura e fria
E a voz passou cantando
Uma canção que dizia:
— Sofre um pra bem do outro;
Cada coisa tem seu dia!

— Quem seria que cantava?
O mais novo perguntou.
— Não sei, respondeu o outro.
Há dias que aqui estou,
Vejo somente este monstro
Que me aprisionou!

Assim ficaram os rapazes
Na prisão horripilante,
Ouvindo o galo cantar
E o sino soar distante,
Comendo um pão por dia,
No poder do tal gigante.

Aqui, leitores amigos,
Tratamos do outro irmão,
Que, não os vendo voltar,
Tomou a resolução
De ir também procurá-los,
Pra ver se os achava ou não!

Pediu a bênção do pai
E seguiu o rumo incerto
Dizendo: — Vou procurá-los
Pelo mundo, longe ou perto!
Se não achá-los, me acabo
Com as feras do deserto!

Assim viajou seis dias,
Chegou no pé dum lajedo
Sentou-se pra fazer lanche,
Num sombrioso arvoredo,
Nisto avistou um macaco
Descendo pelo rochedo.

O macaco aproximou-se
Acenando com as mãos,
E perguntou ao rapaz:
— Anda atrás de seus irmãos?
Digo onde estão, pois gosto
De proteger os cristãos!

Gerimário, ouvindo isso,
Consigo pôs-se a dizer:
"Que macaco inteligente!
Quem poderá ele ser?
A terra em que os bichos falam
É boa de se viver!

Este macaco me diz
Onde estão meus irmãozinhos!"
Disse o macaco: — Eles vivem
Quase mortos, coitadinhos,
Sob as ordens dum gigante,
Nos mais cruéis desalinhos!

E, pra você ver os dois
No quarto horrível e imundo,
Precisa haver uma luta
De estremecer o mundo!
Então, contou como disse
Ao primeiro e ao segundo.

— Não tem nada, disse o moço,
Nossa sorte é abstrata!
Quem vai ao campo da luta,
Ou perde, ou ganha, ou empata –
Hoje o mundo vira gelo,
Mas este nó se desata.

E seguiu com o macaco
Pela montanha deserta.
Adiante ouviram um grito,
Dizendo: — Guerreiro, alerta!
Pega as armas, te prepara
Para morreres na certa.

— É o gigante Tropeço!
Disse o macaco ao rapaz.
Nisso o monstro apareceu
Com olhos de Satanás.
Emburacaram na luta,
Derrubando os matagais.

Travaram-se nas espadas,
Que estremeciam os campos –
As espadas faiscavam
Iguais a dois pirilampos,
E o macaco por cima
Mordendo e tirando tampos.

Gerimário, numa fuga,
Mediu um golpe bonito
Bem nas cruzes do gigante,
Que o monstro deu um grito,
Virou-se todo em fumaça,
Com um mau cheiro esquisito.

Ali desapareceu
E o macaco disse: — Agora
Você vai lutar sozinho,
Porque também vou embora –
Não posso lhe acompanhar
Que já chegou minha hora!

Gerimário foi direto
Ao portão do tal rochedo.
Os javalis e o lobo
Botaram nele sem medo;
Depois chegaram os cavalos
Pra deslindar-se o segredo.

Os bichos todos em cima
Para rasgá-lo de dente,
Mas ele dava pancada
Que descia o sangue quente.
Braço, perna, orelha e couro
Rolavam em sua frente!

Na luta, rasgou o lobo,
Matou os dois javalis
E partiu para os cavalos,
Montou-se no cor de giz –
Foi a carreira maior
Que houve em todo país!

Descendo e subindo serra,
Monte, colina e oiteiro,
Tirou sessenta e três léguas,
Sem fazer um paradeiro,
Até chegarem na corte
Daquele reino estrangeiro.

Quando o cavalo riscou
Na corte do rei Bertino,
Mais de mil cavalos brancos
Correndo em desatino,
Chegaram a favor daquele,
Para qualquer um destino.

O moço apenas ouviu
Uma voz gritar distante:
— Corram todos reunidos
Para a caverna de Dante,
Salvar os dois caçadores
Das mãos do feio gigante!

E lá também está presa
Minha filha Gilbernita –
Quem puder vencer o monstro,
Com sua fúria maldita,
Há de tê-la como esposa
Em uma corte bonita!

Tudo em ordem, disse a voz,
Quem for ligeiro se apronte! –
Nesse momento os cavalos
Desembestaram no monte,
Subindo e descendo serra,
Saltando riacho e ponte.

Em menos de dez minutos
Riscaram lá na prisão.
O gigante deu um grito.
Chegaram na ocasião
Mais de cem bravos gigantes –
Travou-se a revolução.

Gerimário, em seu cavalo,
Era um raio *fuzilante*,
Os outros cavalos iam
Esbagaçando o gigante.
Nisso o macaco chegou,
Com um grupo extravagante.

Pularam em cima dos monstros,
Como enxame de mosquitos,
Cada pulo, uma dentada,
Cada dentada era um grito,
Quem os cavalos pegavam
Ficava num canto frito!

Gerimário, como doido,
No seu cavalo ligeiro,
Dava espadada em gigante,
Que rolava no oiteiro,
Desciam lágrimas de fogo
E subia o fumaceiro.

O gigante feiticeiro,
Chefe do encantamento,
Brigava por mais de dez
Mais ligeiro que o vento.
Botou-se pra Gerimário –
Foi um duelo cinzento!

Porém, por felicidade,
O rapaz pôde agarrá-lo –
Deu-lhe uma cutilada,
Que na testa fez um galo!
Caiu tonto e enrolado,
Bem na frente do cavalo.

Aí os cavalos todos,
Aproveitaram a mansão,
Mordendo e pisando o bruto.
Naquela revolução,
Estourou uma bola verde
Que ele tinha na mão.

Assim que a bola estourou-se
Saiu um fogo azulado,
Deu um estouro na terra –
Desencantou-se o reinado
E apareceu a princesa,
Qual raio do sol dourado!

Tornou-se o monte num reino
Forrado de pérola e louça,
Aquele cavalo branco
Era um príncipe, irmão da moça;
Os outros eram soldados,
Formando o corpo da força.

O sino era o relógio,
Transformado num lendário,
E o galo o carcereiro
Do cárcere extraordinário –
E o macaco era um gênio
Protetor do Gerimário.

Assim transformou-se tudo
Em paz, amor e grandeza,
O Gerimário casou-se
Com Gilbernita, a princesa.
Os seus dois irmãos ficaram
Dentro da mesma riqueza.

O rei passou o império
Pra seu genro governar:
Gaudêncio foi vice-rei
Muito nobre e exemplar;
Januário foi ministro
Para poder completar.

Foram ver o velho pai,
Sagrado amor de existência.
Ao lado dele botaram,
Lhe rendendo obediência –
Entre os filhos, viu o filho,
Sem sofrer mais inclemência!

No tempo em que os bichos falavam

Manoel Pereira Sobrinho

Manoel Pereira Sobrinho nasceu em Passagem, à época distrito de Patos de Espinhara, PB, aos 6 de agosto de 1918, e morreu em 1995, em São Paulo, afastado do mundo da poesia popular. Entre 1948 e 1956 foi editor em Campina Grande, PB. Em 1959, mudou-se para São Paulo, onde reescreveu para a editora Prelúdio romances de Leandro Gomes de Barros e de outros autores famosos. Sua produção original é vasta e de inquestionável qualidade.

Bibliografia básica: *Helena, a virgem dos sonhos*; *Rosinha e Sebastião*, *Dimas e Madalena nos labirintos da sorte*; *A escrava do destino*; *As três irmãs camponesas*; *O rouxinol encantado*; *Elias e a princesa Açucena* e *O conde de Salva-Terra*.

Oh! Deus Pai e grande autor
Das forças celestiais,
Dai-me forte pensamento
E potências autorais
Para descrever a vida
E a fala dos animais.

Leão era o rei da terra,
A leoa era a rainha;
O resto dos animais
Tinha o posto que convinha;
O cachorro era soldado,
Sujeito de muita linha.

Certo dia eu viajei
Entrei numa paisagem;
Por ordem da poesia
Fiz bonita reportagem
Bem no coração da selva,
Num palácio de folhagem.

Vi o coelho carpinteiro,
Preá era malandreco,
Uma rã tocava reco,
O tigre era desordeiro,
O macaco era ferreiro,
Tatu tocava viola;
Cascavel tinha uma escola,
Cururu tinha olaria,
Gato tinha padaria,
Avestruz jogava bola.

Urubu era marchante,
O peba cavava poço,
Xexéu plantava caroço
De milho numa vazante;
Urso era despachante,
Gafanhoto saltador,
Formiga plantava flor,
Lagarta tinha armazém,
Pinto fazia xerém,
Teju era agricultor.

Gambá vendia perfume,
Raposa era caçadora,
Andorinha era pastora,
Cotia tinha um curtume,
Besouro vendia estrume,
O burro era advogado,
O cavalo deputado,
Rinoceronte prefeito,
Rato era mau sujeito,
Peru era o delegado.

Imbuá abria estrada,
Aranha era tecedeira,
Guará vendia na feira
Cana muito bem cortada,
Borboleta era empregada
Em uma loja de renda,
Caititu tinha uma tenda,
O pato era sapateiro,
Ganso tocava pandeiro,
Guaxinim tinha moenda.

Canguru era inspetor,
A cabra vendia leite,
O pavão vendia enfeite,
Catita era promotor,
O jumento era doutor,
A égua era candidata,
A "miss" bela e exata,
Ticaca era dançarina;
Camaleão, na campina,
Consertava a alpercata.

Búfalo era cangaceiro,
Abelha vendia mel
Retirado do vergel;
O sagui era tropeiro,
Lobo era carcereiro,
Gavião passarinhava,
Caracará vaquejava,
Sabiá era cantora,
Beija-flor tinha tesoura
E com ela trabalhava.

O boi era viajante,
O carneiro era pastor,
O correio era o condor,
O pombo era elegante,
Tinha mais de uma amante.
O galo era sentinela,
Vaga-lume tinha vela
Tangida a eletricidade,
Iluminava a cidade
E ganhava bagatela.

O ouriço era caixeiro
De sócio com porco-espinho,
Vendiam no armarinho
Do bode "pai de chiqueiro".
O bola no tabuleiro,
Quase ébrio, discursava;
Zabelê se alegrava
Com aquelas palhaçadas.
Preguiça fazia escadas
Com dois anos escalava...

O grande porco queixada
Acompanhava o baião,
Cutia no violão
Tocava uma batucada,
Paca discursa animada
Com a filha do preá,
E a velha cangambá
Fazia tamanho bico,
Olhando pra o tico-tico,
Ia lá e vinha cá.

No galho a guriatã
Tocava seu clarinete,
O papagaio alegrete
Tinha a arara como irmã,
A lindíssima jaçanã
Bem no salão se banhava,
E toda turma olhava
O juriti espantado,
Foi procurar um soldado
Para ver que jeito dava.

O veado era o escrivão,
E a lhama era modista,
A civeta era anarquista,
Tocava pife e canção,
Caboré era espião,
Concriz era bom pintor,
Vendia fruta o castor,
Cantava o galo-da-serra
As canções de sua terra
Com harmonia e amor.

O grilo era cantador
De modinhas e repentes,
Cupim trazia correntes
De muito alto valor,
Chita era senador
Da alta reunião,
Punaré era ladrão,
Ficava lá na esquina
E o galo-de-campina
Fazendo observação.

Papa-sebo dava viva
À turma da batucada,
Corró fazia emboscada
Para ouvir a patativa,
Garça bonita e altiva,
Dançava com siricoia,
Fazia laço a jiboia
De fitas para vender
Para arranjar e poder
Com isso fazer a "boia".

O mucuim capinava,
Carrapato era rendeiro,
O piolho era copeiro,
Da mesa a mosca tratava,
A galinha passeava
Na frente da sentinela,
Mostrando quanto era bela,
Era boa e verdadeira,
O dia e a noite inteira
O galo olhava pra ela.

Elefante governava
Os limites da cidade,
Tamanduá era frade,
Com sua lei batizava,
Fazia crisma, casava;
Calangro era fazendeiro,
Cabra rico de dinheiro,
Lagartixa era artista,
Fazia qualquer conquista
Rumbando pra o mundo inteiro.

O ganso era vigia,
O guiné guarda-noturno,
Dizia o galo: — Eu enfurno
Este cabra qualquer dia!...
Bonita cantora a jia,
Voz sublime, desejada,
Tetéu fazia zoada,
Atrapalhando a cantora,
Marreca era professora
Muito linda e educada.

Vi patori que pescava
Com o colega socó,
O padeiro era o mocó,
Em festa nunca se achava;
O furão se alisava
Pra ficar bem penteado;
Cachorro trouxe um recado
Que lobo vinha chegar
E precisava brigar,
Pois estava bem armado.

Leão estava presente,
Mandou tocar reunir
E se ouviu o retinir
Do cágado chamando gente...
Com pouco aquele ambiente
Estava contaminado:
O leão fez avisado
Que o lobo chegaria,
Porém reinava alegria,
Pois tudo ali era armado.

Veio jornal para o lobo
Contando a revolução.
Ele tirou a impressão
E falou: — Eu não sou bobo.
É melhor fazer um roubo
Do que entrar na folia!
Vi zebra de fantasia,
A girafa na retreta,
Anta vendendo muleta
A quem andar não podia.

Papa-vento assobiava,
Jaguar vendia veludo,
A traça comprava tudo,
Jegue bebia e jogava,
A foca se espreguiçava,
Jacaré era burguês,
Crocodilo camponês,
A salamandra emboscava,
No entanto onde estava
Matava qualquer freguês.

Rolinha se lastimava
Porque tinha enviuvado,
Arribação a seu lado
Com carinho a consolava,
O salta-caminho estava
Fazendo uma prelação,
Em serenata o carão
Cantava com o colibri
E espera o bem-te-vi,
Avisava ao chorão...

Eu presente contemplando
Aquela grande beleza.
Não existia a tristeza,
Todo mundo trabalhando,
Vendendo e negociando
Fruta, laranja e mamão,
Arroz, batata, feijão,
Açúcar, café, farinha,
Oh! Cidade boazinha –
Deixou-me recordação!

Palestrei sem me cansar
Com os mais inteligentes.
Todos eles bem contentes,
Sem um só se abusar.
Vi o macaco chegar
Cantando várias histórias,
Mas todas com grandes glórias
E de todos os que ouvi,
Contarei o que aprendi
Como a maior das vitórias.

Disse-me ele que um dia
Um caçador foi caçar,
Chegou a certo lugar
Dentro duma travessia,
Ouviu uma voz sombria,
Correu lá, em disparada.
Chegando viu imprensada
Uma cobra muito enorme
E ele achou desconforme
Sob uma pedra pesada.

A cobra pediu socorro,
Dizendo dessa maneira:
— Salve-me desta canseira,
Não tirando a pedra, morro!
Amigo, a você recorro,
Porque me vejo obrigada,
Estou aqui machucada
Por semelhante lajedo,
Presa aqui neste rochedo,
Que vida sacrificada!

O caçador encostou
Na pedra meteu o peito,
Fez força e, com muito jeito,
A grande pedra tirou,
Porque se penalizou
De tão grande sofrimento.
A cobra nesse momento
Se sentiu aliviada,
Saiu toda *entiriçada*
Daquele grande tormento.

Porém, logo recobrou
A sua força perdida
E, com a cabeça erguida,
Para o caçador falou:
— Como você me salvou,
Aliviou meu sofrer,
Eu preciso lhe dizer,
Sem nenhum acanhamento,
Que, em reconhecimento,
Agora eu vou lhe comer!

O caçador disse assim:
— Mas isso não é de lei!
Como é que lhe salvei
E você quer dar-me fim?
Então, prova ser ruim,
Não tem coração leal!
Disse a cobra: — É como tal
Se afirma com certeza
Que é lei da natureza
Pagar-se o bem com o mal.

É melhor, lhe digo agora,
Vamos sair procurando
A quem se for encontrando
Perguntamos sem demora
O que digo nesta hora:
Se três isto confirmar,
Não poderá recusar
E se nos disserem não,
Conforme a explicação,
Você pode se salvar.

O caçador aceitou,
Vendo-se quase perdido.
Adiante um cão caído
Numa descida encontrou,
Chegou-se a ele, o saudou
E perguntou, sem desdém,
Dizendo: — Amigo, convém
Que me responda com fé
Me dizendo como é
Que pode pagar-se o bem?

O cão ergueu a cabeça
E disse em tom natural:
— Paga-se o bem com o mal,
Embora eu não mereça,
Mas não há quem reconheça
Um benefício prestado:
Eu era moço esforçado
Servia em tudo ao meu dono...
Velho, estou no abandono,
Por ele fui desprezado!

Já, portanto, é natural
Que meti-me em sacrifício.
Fiz mais de um benefício,
Porém recebi o mal,
Dei-lhe resposta cabal!
Disse a cobra ao caçador:
— Está ouvindo, meu senhor?
Vamos noutra direção
Ouvir outra opinião
De um outro sofredor.

O caçador, cheio de abalo,
Já saiu desanimado
E logo encontrou deitado
Um miserando cavalo;
O lombo cheio de calo,
Sofrendo muito também,
Saudou-o igualmente quem
Está com a vida em nada
E perguntou: — Camarada,
Como então se paga o bem?

Disse o cavalo: — É legal
Um adágio muito antigo,
Que mesmo o melhor amigo
Só paga o bem com o mal.
Do soldado ao general,
Mantêm esta tradição.
Já, portanto, meu irmão,
É com que se paga o bem.
Um outro meio não tem;
Já lhe dei a explicação.

Eu era moço e fogoso,
O meu dono me zelava,
Todo dia me banhava,
Me dava milho gostoso,
Vivia no maior gozo
Em que se pode viver;
Comigo tinha prazer
Que lhe fiz todos os gostos,
Hoje estou nestes encostos
Desprezado pra morrer!...

Disse a cobra: — Está ouvindo?
Lhe comerei certamente.
Falta apenas um somente,
O prazo está extinguindo...
O caçador, já sentindo
A dor da tirana morte,
Marchou pra o lado do norte,
Me encontrou num arvoredo,
Chegou me saudou com medo
E como quem não tem sorte:

— Bom dia, meu camarada,
Eu lhe respondi: — Bom dia!
E vi que ele sentia
Uma dor desesperada;
Ele, de voz aterrada,
Me perguntou, muito além:
— Amigo, em nome de alguém,
Me responda sem pensar:
Se você fosse pagar,
Com que pagaria o bem?

Eu lhe respondi: — Conforme,
Isto depende do bem;
E não respondo a ninguém
Uma coisa desconforme...
Então a serpente enorme
Disse: — Queria dizer
O que se pode fazer
Com quem nos pratica o bem.
Eu quero saber também
Para a causa resolver!

102

E eu respondi: — Depende...
Disse a cobra nesta hora:
— Irei lhe contar agora,
Sei que você compreende.
Contou e falou: — Entende?
Eu lhe disse: — Não senhora;
Ela diz: — Vamos agora
Lá no citado rochedo?
Eu desci do arvoredo
E disse: — Vamos embora!

Chegando lá me mostrou
O lugar onde ela estava;
Fiz que não acreditava,
Comigo ela se zangou,
Para a mesma fenda entrou.
Ao caçador ajudei,
A grande pedra rolei,
Que em grande disparada
Deixou a cobra alojada.
Aí pra cobra falei:

— Dona cobrinha, é assim
Meio de pagar-se o bem.
A quem mau instinto tem
Bom é bom, ruim é ruim;
Fique aí e leve fim
Para não ser desgraçada
E morra aí imprensada
Pra não ser desconhecida:
Vida se paga com vida
E pancada com pancada.

Disse ao caçador também:
— Prestou-me bem atenção?
Isso é uma lição
Quando for fazer o bem,
Procure saber a quem
E seja sempre leal.
Houve um dogma universal,
Porque dizer-lhe convém:
Quem faz o bem tem o bem,
Quem faz o mal tem o mal!

Nessa hora a bicharada
Toda gritou: — Apoiado!
O macaco é um danado,
Tem uma ideia sobrada;
A cobra estava sentada,
Ficou com a cara feia,
Disse, como quem odeia:
— Sua história é de valor,
Mas eu afirmo ao senhor
Não gosto da vida alheia!

Disse o macaco: — A senhora
Por que hoje é a professora,
Porém já foi traidora
E para ser não demora...
Poeta, vamos embora,
Que já estou me zangando
E se for continuando
Esta conversa animada,
Com qualquer um camarada
Hoje termino brigando!...

Macaco é bicho danado,
Por isso hoje é sabido.
Se não fosse prevenido,
O homem estava atolado;
Benfeito foi seu tratado
Rimei o que me contou.
Isto é, meu ser criou
Na mente, a pena escreveu
História, e o assunto é meu
O anjo foi quem ditou!

O valente Felisberto e o Reino dos Encantos

Severino Borges Silva

Severino Borges Silva nasceu aos 8 de outubro de 1919, em Aliança, PE, e faleceu em 1991, em Timbaúba, no mesmo estado. Cantador repentista e poeta popular, criou e versou muitos folhetos de literatura de cordel, inclusive *O verdadeiro romance do herói João de Calais*, considerada a melhor versão rimada do famoso romance, escrito no século XVIII por Madame de Gómez e estudado por Câmara Cascudo em *Cinco livros do povo*.

Bibliografia básica: *Romance da princesa do Reino do Mar-sem-fim*; *Amor de mãe*; *A princesa Anabela e o filho do lenhador*; *Ali-Babá e os quarenta ladrões*; *O gavião do mar* e *O cavaleiro das flores*.

Ó grande Deus, inspirai-me
Com vossos poderes santos,
Que eu vou contar um romance
De amor, lutas e prantos –
Do valente Felisberto
E o Reino dos Encantos.

Felisberto era filho
De um rei muito bondoso,
Porém, tinha dois irmãos,
Cada qual facinoroso –
Um era muito perverso,
O outro muito orgulhoso.

Mas o moço Felisberto
Era um distinto rapaz:
Protegia os desvalidos,
Visitava os hospitais,
Seguia o caminho de Deus
E as lições de seus pais.

Os irmãos de Felisberto
Um dia a seu pai pediram
Para andarem pelo mundo,
Ver coisas que nunca viram –
E, quando o rei deu a ordem,
De mundo afora saíram.

Com um ano, eles chegaram
Nos confins de um estado.
O dito estado era um reino
Há mil anos encantado –
Três princesas eram donas
Desse sublime reinado.

Então, essas três princesas
No reino foram encantadas
Pelo grande feiticeiro
Do Reino das Sete Fadas –
Em três estátuas de pedra
Elas foram transformadas.

107

Os príncipes viram uma placa,
Nela continha um letreiro,
O qual dizia o seguinte:
Se aparecer um guerreiro
Que desencante este reino,
Será seu dono altaneiro.

E quem não desencantar
Será também encantado,
Mas quem vencer a questão
Será dono do reinado,
Casará com a princesa,
Depois será coroado.

Pra desencantar o reino,
Primeiro tem que fazer
Três mandados perigosos.
O príncipe que se atrever
Não fazendo, é encantado —
Ninguém o pode valer!

Pois o primeiro mandado
É para ir procurar
As cem mil pérolas de ouro
Que a princesa Guiomar
Deixou perdidas num monte,
Que tem na beira do mar.

O segundo é para ir,
Com a maior ligeireza,
No centro do oceano
Sem temer a profundeza,
Buscar a chave de ouro
Lá do quarto da princesa.

O terceiro é pra dizer,
Com coragem e altivez,
No meio das princesinhas
Qual a mais nova das três —
Não dizendo, és encantado
Em pedra, com rapidez!

108

E, como são parecidas,
É preciso dar a prova –
Qual a mais nova e a mais velha,
Para não haver reprova,
Pois é difícil saber-se
Das três qual é a mais nova.

E o nome das princesas:
A primeira é Guiomar,
A segunda é Marieta
A terceira é Luzimar –
Bonitas que só a lua
Quando começa a brilhar.

E cada mandado destes
É para fazer num dia.
Não fazendo, és encantado,
Em pedra grosseira e fria –
Desse jeito transformado,
Nunca mais tens alegria!

Terminando os três mandados,
Ainda tem que lutar
Com um gigante que vem,
Sutil igualmente ao ar,
Do reino da Pedra Negra
Da outra banda do mar.

Depois do gigante, vem
Um príncipe muito tirano
Malvado de coração,
Dum instinto desumano,
Buscar uma das princesas
Para o fundo do oceano.

Depois do príncipe, vem
Um terrível feiticeiro
Que encantou o reinado.
Esse é o maior guerreiro –
No mundo não há quem vença
Esse infeliz mandingueiro!

Os príncipes, lendo o letreiro,
Ficaram com alegria
E foram logo fazer
Como a placa dizia –
Mas ficaram transformados
Em pedras no mesmo dia.

Assim, ficaram os príncipes
Em rochedos reduzidos,
Distantes da sua pátria,
Longe de seus pais queridos –
E seu irmão Felisberto
Por eles dava gemidos.

Felisberto disse ao pai,
Bastante contrariado:
— Vou procurar meus irmãos,
Pois deles tenho cuidado
E, enquanto não achá-los,
Não voltarei ao reinado!

Pois já faz mais de um ano
Que eles vivem além,
Por isso vou procurá-los,
Saber se estão mal ou bem –
E, se eu não encontrá-los,
Por lá me acabo também!

O rei deu-lhe o necessário
Que um guerreiro precisa.
O príncipe seguiu viagem,
Macio que só uma brisa,
Com todo ânimo e coragem,
Fazendo sua pesquisa.

Certo dia, ele chegou
Em um grande tabuleiro,
Onde viu umas formigas
Em terrível desespero,
Só porque tinha uma pedra
Na boca do formigueiro.

O príncipe tirou a pedra,
Provando não ser ruim.
Ouviu uma voz estranha,
De dentro dizendo assim:
— Se algum dia precisares,
Poderás chamar por mim!

Tu ainda hás de chegar
Num reino desconhecido
E entrarás em perigo,
Porém dize no sentido:
Valha-me o rei das formigas!
Que será logo valido.

O príncipe ficou alegre
E viajou novamente.
Depois, chegou num açude,
Viu um peixe descontente,
Porque estava se queimando
Em cima da terra quente.

Ele pegou o peixinho
E dentro d'água botou.
Então, ouviu uma voz
Que desta forma falou:
— Se precisares de mim,
Às tuas ordens estou!

Se entrares em perigo,
Basta só dizer assim:
Valei-me, ó rei dos peixes!
Vinde defender a mim!
Que eu chego e te defendo –
Acabou-se o tempo ruim!

Felisberto, satisfeito,
Seguiu a sua jornada.
Na frente viu uma abelha
Com uma asa quebrada,
Imprensada numa pedra,
Quase morrendo, a coitada!

Ele tirou a abelha
Daquele horrendo castigo
E ela, vendo-se livre,
Disse a ele: — És meu amigo!
Se em perigo te vires,
Poderá contar comigo!

Entrando em qualquer questão,
Basta você me chamar
A rainha das abelhas,
Que eu garanto chegar
Pronta para defendê-lo,
Sem nem uma vez falhar!

Felisberto agradeceu
E seguiu muito apressado,
Até que um dia chegou
No dito reino encantado,
Onde estavam seus irmãos,
Cada um petrificado.

Ele entrou de reino adentro
E encontrou com um anão,
Sentado em uma mesa
Com um alfanje na mão –
Tão feio que parecia
Com a avó da mãe do cão!

O príncipe falou com ele,
Mas ele não deu ouvido,
O rapaz falou de novo
E ele, muito aborrecido,
Apenas mostrou-lhe a placa
Que seus irmãos tinham lido.

Felisberto, quando leu
Do tal letreiro o tratado,
Disse logo pra o anão:
— Pode ficar descansado,
Que eu desencanto tudo
Que tiver neste reinado!

Mas, como já era tarde,
O príncipe foi se deitar
Num quarto muito bonito,
Verde como a cor do mar.
Quando amanheceu o dia,
As pérolas foi procurar.

Ele, chegando ao monte,
Ficou sem contentamento,
Porque não viu uma pérola.
Gritou naquele momento:
— Valei-me ó rei das formigas!
Tirai-me deste tormento!

Quando o príncipe disse isso,
Viu abrir-se ali uma estrada
E vinham cem mil formigas,
Cada qual mais carregada,
Com as pérolas da princesa
Completas, sem faltar nada!

O príncipe pegou as pérolas
E levou-as pro reinado.
O anão, quando viu ele,
De raiva ficou danado,
Porque Felisberto tinha
Feito o primeiro mandado!

O anão mandou o príncipe
Dormir em outro aposento,
Num quarto muito decente
Que tinha todo o ornamento –
Tão belo, que parecia
O azul do firmamento.

Pela manhã, Felisberto,
Alegre, forte e ufano,
Foi direto à beira-mar,
Com fé no Deus soberano,
Buscar a chave de ouro
Num fundo do oceano.

E, quando chegou na praia,
Gritou com grande afoiteza:
— Venha-me o rei dos peixes,
Fazer a minha defesa,
Trazer-me a chave de ouro
Lá do quarto da princesa!

O príncipe gritou tão alto,
Que ficou de goela rouca,
Nisto apareceu um peixe,
Em uma carreira louca,
Com uma chave de ouro
Atravessada na boca.

O peixe entregou-lhe a chave,
O príncipe voltou contente.
O anão, quando o avistou,
Ficou como uma serpente,
Que quase pregava o moço,
Para rasgá-lo de dente.

E disse pra Felisberto,
Com tamanha estupidez:
— Amanhã é pra você
Responder com rapidez,
No meio das princesinhas,
Qual é mais nova das três!

Hoje, você vai dormir
Naquele quarto terceiro.
É o mais fino dos três
E dentro tem um banheiro
Com as águas perfumadas,
Com perfume verdadeiro!

Quando entrou no quarto, o príncipe
Disse: — Este é um tesouro!
O piso era de prata
E as paredes de ouro,
E três estátuas de moças,
Belas como um anjo louro!

Ele ali passou a noite
Dormindo, bem sossegado.
No outro dia, o anão,
Chegou no quarto zangado,
Chamando o moço pra ir
Fazer o último mandado.

O anão tratou o príncipe
Com tamanhas espertezas,
E foi botar logo o moço
Onde estavam as princesas.
O rapaz ficou pasmado,
Quando viu as bonitezas!

As três estavam deitadas
Em uma cama de ouro;
Só pareciam três anjos
Do grandioso tesouro –
O rosto como a romã,
O cabelo fino e louro!

O príncipe disse: — Só Deus
Podia dar-me esta dita
De ver uma coisa destas,
Linda, atraente e bendita...
Porém ficou sem saber
Qual seria a mais bonita.

O príncipe passou o dia
Sem deslindar os sinais –
Das três, qual era a mais nova?
Disse: — São todas iguais!
E, por fim, desenganou-se,
Que não conhecia mais.

O príncipe, neste aperreio,
Ficou de faces vermelhas,
Lhe subindo uma quentura
Dos pés até as orelhas –
Nesse perigo, chamou
A rainha das abelhas.

A rainha das abelhas
Saiu lá de seu jardim,
Chegou onde estava o príncipe
E foi perguntando assim:
— Felisberto, vá dizendo
O que deseja de mim?

Felisberto disse: — Eu quero
Que você me dê a prova,
No meio destas princesas,
Dizer qual é a mais nova –
Pois, se eu não adivinhar,
O jeito é ir para a cova!

A abelha disse: — Isto
Não atrapalha a ninguém!
Você beija todas elas –
Escute o que digo bem –
E a que cheirar a mel
É a mais nova que tem!

O príncipe saiu beijando
As princesas de per si.
Na boca da derradeira,
Ele gritou: — Eu senti
Um cheiro de mel de abelha –
E a mais nova é esta aqui!

Nisto a jovem levantou-se
Daquele sono profundo.
Felisberto abraçou-a,
Em menos de um segundo,
E deu-lhe um beijo tão grande
Que até se esqueceu do mundo!

E, enquanto Felisberto
Com ela estava abraçado,
No quarto entrou um gigante,
Com uma espada de lado,
E gritou, atrás do príncipe:
— Que é isto, cabra safado?!...

Disse o gigante: — Você
Vai morrer já, num segundo!
Mas o moço retrucou-lhe:
— Quem é você, vagabundo?
Se previna, que eu vou
Botá-lo no outro mundo!

E, se você é guerreiro,
Vamos entrar em questão!
Passou no monstro a espada,
Com a força de um leão,
Que o gigante ficou
Rodando como um pião!

E repetiu-lhe outro golpe —
Ele morreu nessa hora.
Porém, chegou logo o príncipe
Dizendo: — Cheguei agora,
Vim com a brigada dentro —
Preciso botar pra fora!

Felisberto disse logo:
— Chegou mais outra quizila!
Pode se aprontar, meu príncipe,
Que vou botá-lo na fila —
Se tiver bom, vamos ver
Quem tem roupa na mochila.

E ali entraram logo
Numa luta encarniçada:
Saía fogo das armas,
No jogo da cutilada,
Que parecia o relâmpago
No meio da trovoada!

Felisberto disse: — Cabra,
Meu sangue está esquentando!
E deu-lhe um golpe de esquerda —
O príncipe ficou roncando,
E depois pôs-se a rodar,
Como galinha ciscando.

Felisberto disse a ele:
— Morre um, e chega mais?!...
Se quer brigar, vamos ver
De nós quem é mais voraz –
Do jeito que estou agora,
Brigo até com Satanás!

O bruxo disse: — Você
Comigo se desmantela!
Eu não sou como esses dois
Que esticaram a canela –
A minha volta é por dentro
Que só couro de moela!

O moço disse: — Eu agora
Acerto a tua casaca!
Se não te matar de bala,
Mato de espada ou de faca –
Eu também brigo por dentro,
Que só cabelo de jaca!

Logo partiu para o bruxo,
Sorrindo até com desdém –
Pegou ele no gogó,
Deu no cabra um vai e vem.
Nesse momento, o anão
Entrou na luta também!

Aí, engrossou a luta,
O couro falou no centro.
O príncipe disse: — Safado,
No seu couro eu também entro!
Deu-lhe um murro tão danado,
Que ele entrou de chão adentro.

O bruxo, neste momento,
Partiu que só um leão,
Mas Felisberto cravou-lhe
A espada pelo vão,
Que cortou cinco costelas,
As tripas e o coração!

E repetiu outro golpe –
Foi banda pra todo lado!
O bruxo deu um gemido,
Caiu e ficou calado.
Assim que ele morreu,
Desencantou-se o reinado.

Todas estátuas de pedra
Em gente se transformaram.
As princesas, nesta hora,
De alegria choraram!
Os irmãos de Felisberto
Também se desencantaram.

E cada um tomou conta
De uma linda princesa;
Com um mês depois de casarem,
Houve um festim de nobreza
E foram viver felizes –
Assim quis a natureza.

Felisberto se casou
Com a linda Luzimar,
Tão bela, que parecia
Uma santa no altar –
Foi gozar com seu esposo
Nos labirintos do lar.

Assim ficou Felisberto
Com o seu amor do lado.
Depois escreveu aos pais
Contando todo o passado –
Então, os seus pais vieram
Visitá-lo em seu reinado!

O Feiticeiro do Reino do Monte Branco

Minelvino Francisco Silva

Minelvino Francisco Silva nasceu na Fazenda Olhos d'Água de Belém, município de Mundo Novo, BA, aos 29 de novembro de 1926. Faleceu em 1998, no dia de seu aniversário. Era xilógrafo, fotógrafo, tipógrafo e editor, e denominava-se a si mesmo O Trovador Apóstolo. Instalado no município baiano de Itabuna, ia sempre a Bom Jesus da Lapa, no mesmo estado, por ocasião da famosa romaria de agosto, vender seus folhetos e benditos.

Bibliografia básica: *João Acaba-Mundo e a serpente negra*; *O gigante Quebra-Osso e o castelo mal-assombrado*; *Encontro de Cancão de Fogo com Pedro Malasartes*; *A vaca misteriosa*; *O vaqueiro Damião*; *O touro preto que engoliu o fazendeiro* e *Antônio Conselheiro e a Guerra de Canudos*.

Nos tempos de antigamente
A Jesus ninguém temia,
Pois o povo dava crença
Somente à negra magia;
Todo mundo acreditava
Em bruxo e feitiçaria.

Portanto, não se adorava
A nosso Deus verdadeiro,
Pois só se dava valor
A feitiço e feiticeiro,
A fadas, bruxos e bruxas,
Macumba e catimbozeiro!

Cada um desses três entes
Tinha força agigantada:
Fazia qualquer cidade
Tornar-se petrificada;
A capital de um reino
Ficava toda encantada.

Aqui pretendo narrar
Um caso que foi passado
Num país muito distante,
Em um bonito reinado,
Passou-se esse grande enredo
Que ficou memorizado.

No Reino do Monte Branco
Residia antigamente
Um famoso feiticeiro
De nome Chico Vicente;
Esse reino era estrangeiro
Da banda do Oriente.

Então esse feiticeiro
O que quisesse fazia,
Encantava uma cidade
Com sua feitiçaria,
Porque tinha muitos gênios
Pra fazer o que queria.

123

Qualquer vivente no mundo
Ele, querendo matar,
Bastava pegar seu tubo
E para o lado soprar;
Não tinha ninguém no mundo
Que pudesse suportar.

Caso quisesse encantar
Qualquer um dessa nação,
Pegava seu tubo mágico
Fazia uma oração.
Encantava uma pessoa
Ou toda uma região!...

Qualquer pessoa no mundo
Ele querendo ablagar,
Bastava chamar um gênio
Mandar ligeiro buscar;
Para uma terra estranha
Mandava lhe transportar.

Na casa do feiticeiro
Tinha um grande caixão,
Num grande quarto que havia,
Pertencente à salgação,
Livros de todos os tipos,
Tinha toda precaução.

Então nesse mesmo reino
Morava certo senhor,
Era muito pobrezinho,
Chamava-se Nicanor,
Casado com uma dona
Por nome de Elionor.

Nicanor era tão pobre
Que nem pra comer ganhava
Com a senhora Elionor,
Pois até fome passava,
Mas, sempre resignado,
Com tudo se conformava.

Nesse tempo sua esposa
Deu à luz um homenzinho.
Quando nasceu, combinaram
Para tomar por padrinho,
O famoso feiticeiro
Batizava o garotinho.

Foi a carta de convite
Com decente fraseado
Oferecendo a criança,
Se fosse do seu agrado,
Para o bruxo batizar
Para ter esse afilhado.

Ele aceitou o convite,
Porém mandou avisar
Que o menino queria
Pra ele mesmo criar –
Quando tivesse oito anos
Ele mandava buscar.

O bruxo mandou dizer:
— Meu compadre Nicanor,
Que o menino aprenda a ler
Eu não quero, não senhor;
Tenha bastante cuidado,
Minha comadre Elionor!

Nicanor mandou dizer
Que com prazer lhe daria;
De não ensinar a ler,
Isto ele garantia,
Porque onde ele morava
Escola não existia!

Quando completou o prazo
Do menino ir batizar
O bruxo não pôde ir;
Mandou outro em seu lugar,
Porque dentro da igreja
Ele não podia entrar.

E ali se batizou
Aquele lindo menino,
Dele ali só Deus sabia
Qual seria o seu destino.
Combinaram e deram nome,
Na criança, de Albertino.

Então voltaram pra casa
Todos com muita alegria
E o velho Nicanor,
Prazer em si não cabia;
De o padrinho ir buscar
Todo mundo já sabia.

Foi se criando o menino,
Na escola nunca ia,
Tinha seu livro escondido
Para ver se aprendia.
Nem seu pai nem sua mãe
E ninguém disso sabia.

Ao completar oito anos
Veio o padrinho buscar.
Naquele tempo Albertino
Sabia ler e contar;
Dizia que não sabia
Pra ninguém desconfiar.

Pra casa do feiticeiro
O menino foi levado;
Se ele sabia ler
Logo foi interrogado,
Mas Albertino negou,
Pra isso nasceu dotado.

Era o bruxo experiente,
Ali um livro apanhou.
— Me diga: que letra é esta?
Ao menino perguntou.
— Isto aqui é um garrancho!
Albertino assim falou...

O bruxo aí conformou-se
Que o menino não sabia.
Para ser seu guarda-livros
Era o que ele queria,
Porque não sabia ler,
Por isso não aprendia.

A ele entregou o quarto
De livros superlotado.
Assim disse a Albertino:
— Menino, tome cuidado!
Livros de todos os tipos
O bruxo tinha guardado.

Qualquer um livro daqueles
Que o feiticeiro estudava;
Pra toda parte do mundo
Querendo, lhe transportava.
Em ave ou qualquer vivente
O bruxo se transformava.

O menino tomou conta
Do quarto para zelar,
Botar os livros ao sol,
À tarde tornar guardar.
Quando o padrinho saía
Começava ele estudar.

Ele via que o padrinho
Botava o dedo no chão,
Se benzia com a esquerda,
Fazia uma oração,
Virava-se num besouro
Nessa mesma ocasião.

O bruxo fazia isso
Escondido do menino,
Mas ele era curioso,
Puxado pelo destino.
As proezas desse bruxo,
Tudo aprendia Albertino.

Em um enorme besouro
Assim que se transformava,
Por força de bruxaria
Batia asas, voava;
E o menino escondido
Tudo isso observava.

Assim que o bruxo saía,
Começava ele estudar
Os livros de bruxaria,
Antes do bruxo chegar.
Ele guardava depressa
Para não se demonstrar.

Até que um belo dia
O bruxo determinou,
Botou o dedo no chão,
Sua oração rezou,
Se virou num gavião
E velozmente voou...

Albertino, escondido,
Tudo estava observando.
Quando o bruxo foi embora,
Ele foi se levantando,
Falou as palavras mágicas,
Também foi se encantando.

O livro da bruxaria
Ele soube decorar,
Como era que encantava
E tornar desencantar
E se virou num besouro
Duma maneira sem-par.

Para casa de seu pai
Ligeiramente voou;
Num espaço dum minuto
Na casa do pai chegou,
Porém, antes de chegar,
Depressa desencantou.

Os pais ficaram contentes
Por ver seu filho chegar.
Ele recebeu a bênção,
Dizendo: — Vim passear.
Mas o segredo do livro
Nada de ele revelar.

O pai do moço Albertino
Ficou bastante contente.
Abraçou o seu filhinho,
Sorrindo amorosamente.
De ele ter vindo encantado
Tudo estava inocente.

Já estava chegando a hora
Do feiticeiro chegar;
O moço se despediu
Dos pais para viajar;
Com suas palavras mágicas
Tornou a se encantar.

Quando o padrinho chegou,
Ele já tinha voltado,
Já estava tudo direito,
Tudo bem organizado.
Tanto que o feiticeiro
Não tinha muito cuidado.

O menino Albertino
Lendo o livro todo dia,
Mais do que o seu padrinho
O menino já sabia;
Fazia o que bem quisesse
Na arte da bruxaria.

O bruxo tinha um mascote
Misterioso, encantado;
O passado e o futuro
E o presente era avistado;
Se via o mundo e o fundo
No aparelho falado.

Quem tivesse esse aparelho
Nada lhe metia medo,
Fazia o que desejava
Desmanchava todo enredo,
Catimbó, feitiçaria –
Não respeitava segredo.

Albertino ali pegou
Aquele lindo aparelho,
Todo em pedra preciosa,
Brilhante como o espelho,
De cor verde e amarela,
Misturada de vermelho!

Pegando esse aparelho,
Dentro do bolso botou,
Pegou os livros do bruxo
Ligeiramente os rasgou;
Dizendo as palavras mágicas,
Num besouro se virou.

No besouro transformado,
Bateu asas, foi voando.
Lá na casa de seus pais
No momento foi chegando.
O seu pai e sua mãe
A ele foram abraçando.

Albertino disse: — Pai,
Agora vou lhe avisar
Que vem aí meu padrinho
Atrás para me pegar.
Em um bonito cavalo
Vou aqui me transformar!

Também lhe digo, papai,
Preciso muito cuidado.
No cavalo eu me viro,
Muito bonito, arreado;
O padrinho vem buscar-me;
Vou deixar tudo explicado:

Ele aqui, quando chegar,
Vai perguntando por mim,
Que aqui eu não cheguei,
Vá logo dizendo assim.
Ele deseja comprar
O cavalo com selim.

Diga a ele que o cavalo
Não tem negócio a fazer,
Se ele der muito dinheiro
Se acaso o senhor vender,
Não se esqueça: tire a brida,
Ouça o que estou a dizer.

O velhinho concordou
E, naquela ocasião,
O menino transformou-se
Em um cavalo alazão;
Já todo bem arreado
Ficou ali no mourão.

Agora vamos voltar
À casa do feiticeiro:
Não achando o afilhado,
Aquele catimbozeiro
Deu um urro tão danado
Que tremeu todo o oiteiro.

Dizia o feiticeiro:
— Foi o plano mais errado
Eu ir arranjar menino
E tomar por afilhado
Pra me fazer traição,
Mas eu mato o condenado.

Foi buscar o talismã,
Porém nada encontrou,
Os livros todos rasgados,
Ele inda mais se danou;
Deu na porta um pontapé
Tão grande que derrubou!

131

O bruxo naquela hora
Rugia como leão,
Benzeu-se com a mão esquerda,
Prosseguiu sua oração:
Transformou-se num besouro
Nessa dita ocasião.

Seguiu atrás do menino,
Com seu plano traiçoeiro,
Pra dar fim a Albertino,
Chamando de estradeiro.
Na casa de Nicanor
Foi chegando o feiticeiro.

Foi dizendo: — Meu compadre,
Albertino aqui chegou?
O velho disse: — Compadre,
Aqui ele não passou!
O cavalo no mourão
O feiticeiro avistou.

O feiticeiro sabia
Que o cavalo era o menino.
O cavalo quis comprar
Com seu instinto ferino,
Porque, comprando o cavalo,
Saciava seu destino.

— Me venda esse cavalo!
O bruxo encareceu.
— Não tenho para negócio,
Nicanor lhe respondeu,
Não há dinheiro que pague
Esse bom cavalo meu!

— Pelo cavalo arreado
Eu lhe dou um mil cruzeiro.
Nicanor disse: — Não vendo,
Para mim não é dinheiro!
— Então eu lhe dou dois mil,
Tornou o catimbozeiro.

— Não o tenho pra vender,
Como já disse ao senhor;
Dinheiro por meu cavalo
Para mim não tem valor;
Já lhe disse que não vendo
Nem ao nosso imperador!

— Eu vou lhe dar vinte contos,
Disse alto o feiticeiro.
— Meu compadre, vinte contos,
Isso é muito dinheiro;
O senhor com vinte contos
Nesta terra é um banqueiro!

Nicanor criou usura
Nos vinte contos de réis;
Disse: — Eu com vinte contos
Sou igual aos coronéis;
Já é um grande dinheiro,
Porém vou pedir mais dez!

Assim disse: — Meu compadre,
Por trinta contos eu dou.
O bruxo naquela hora
Trinta "pacotes" pagou,
Desamarrou o cavalo,
Disse adeus e se montou.

Com uma grande chibatada
E uma terrível espora,
Foi montando no cavalo
E partiu sem ter demora;
Esporava e batia,
Seguindo de estrada afora...

Nicanor se esqueceu
De aquela brida tirar,
Deixou com brida com tudo
E, quando quis se lembrar,
Já o cavalo voava
Com o feiticeiro no ar!

Dava o bruxo no cavalo,
Com toda força do braço,
Com a enorme chibata,
Tecida de puro aço.
O cavalinho voava
Como ave no espaço...

Cinquenta, sessenta léguas
Por minuto ele tirava,
Igualmente um avião,
Quem o visse comparava.
O bruxo tomava um "porre"
Nos lugares que chegava.

Espancando esse cavalo
Viajava noite e dia,
Aquele pobre animal
Não comia, nem bebia;
Para matar o menino
Era o que ele queria.

O cavalo era o mascote,
A brida era o menino,
E a sela era a roupa
Do pobre do Albertino,
Que estava sentenciado
Por esse monstro assassino.

Já estava com três dias
Que o bruxo lhe maltratava,
Corria a noite e o dia
Para ver se o matava.
Tomando muito conhaque,
Danadamente o espancava!...

Com três dias esse bruxo
Não aguentava viajar.
Numa cidade que tinha
Parou para descansar;
O cavalo no mourão
O bruxo pôde amarrar.

Na casa de um conhecido
O feiticeiro chegou.
Estava com muito sono
Em um banco se deitou
E, quando foi se deitando,
Em grande sono pegou.

Isso na beira da praia.
E o cavalo no mourão,
Quando olhava pra água,
Rinchava e cavava o chão;
O feiticeiro dormindo,
Descansando o coração.

Um menino dessa casa
Que estava a observar
O cavalo olhando a água,
Horrivelmente a rinchar;
O menino teve pena
Foi água ao cavalo dar!

Para dar água ao cavalo
Depressa desamarrou
Chegou na beira do lago
O cavalo assim falou:
— Valei-me uma piaba!
E em piaba virou...

Com essa cena o menino
Já ficou quase assombrado
A piaba ainda disse:
— Menino, muito obrigado!
Foi dizendo e mergulhando,
E ele ficou pasmado.

Volta o menino chorando
Foi contar ao feiticeiro,
O algoz de Albertino,
Do coração traiçoeiro;
O feiticeiro acordou
Num completo desespero.

A criança então contou
Tudo quanto aconteceu;
O bruxo deu um esturro
Que toda a terra gemeu;
Para o lago no momento
O feiticeiro correu...

O menino foi mostrar
Onde o cavalo encantou.
Chegou lá o feiticeiro,
Tudo ali examinou;
Disse: — Valha-me uma lontra!
E em lontra se virou...

E transformado na lontra,
Ligeiro foi mergulhando
Vem aqui, vai acolá,
A piaba procurando;
No fundo do oceano
Foi a piaba avistando.

A lontra atrás da piaba
Desembestou a correr;
A piabinha corria,
A lontra assim a dizer:
— Eu te pego, piabinha,
Te apronta para morrer!

A piaba respondia:
— Seu plano será errado,
Dentro do grande oceano
Eu sei dar o meu recado;
A lontra corria atrás
Igualmente um cão danado.

No meio dos grandes peixes
A piabinha passava,
Atrás dela ia a lontra;
Ali não se enganava;
Pra pegar essa piaba
Só era o que desejava!

Correram todo o oceano.
A piabinha cansou,
Previu que a lontra pegava
Depressa se transformou
Em uma pombinha branca,
Bateu asas e voou...

A lontra naquela hora
Virou-se num gavião;
Atrás da pomba voou
Nessa mesma ocasião,
Veloz igual o relâmpago,
Quando estronda o trovão.

Ele ia atrás da pomba,
De vez em quando a gritar:
— Não há aonde tu entres
Para eu não te agarrar!
Engulo duma só vez –
Não dá nem para gostar!

A pombinha no espaço
Voava e se maldizia;
Sempre olhava para trás
De vez em quando dizia:
— Gavião, tu não me pegas,
Pode morrer de agonia!

Remexeram o espaço,
Voando, sem ter parada,
A pobrezinha da pomba
Já ia muito cansada;
Viu que se voasse mais
Seria logo agarrada.

Na janela dum palácio
Tinha uma princesa olhando,
Avistou muito de longe
Essa pombinha voando,
O gavião atrás dela
Que vinha se beliscando.

A pomba vinha voando,
Foi avistando a princesa
Na janela do palácio,
Um encanto de beleza;
Disse: — Valha-me uma joia
No dedo dessa pureza!

Depressa em uma joia
A pomba se transformou
No dedo da linda jovem.
A princesa se abismou;
Também naquele momento
Uma voz assim falou:

— Princesa, essa linda joia
Não queira a ninguém vender,
Que é um pobre rapaz
Quase sujeito a morrer.
Dele se salva a vida,
Ele casa com você!!!

Quem vier comprar a joia,
Não dê nem por um milhão.
Se avançar para tomar,
Bata com ela no chão;
Vira um caroço de milho,
Preste bastante atenção.

Em seis caroços de milho
A joia vai transformada;
Corre um para seu pé,
E já estás avisada:
Pise logo o pé em cima
Que com ele não tem nada.

Quando o gavião foi vendo
A pomba se transformar
Em uma bonita joia,
Com ela a jovem ficar,
Disse: — Valha-me um homem
Pra essa joia comprar!

Foi dizendo essas palavras,
Num homem transformou.
Direto para o palácio
O feiticeiro marchou,
Foi saudando a princesa,
Por essa forma falou:

— Deus vos salve, Vossa Alteza!
Eu não vim vos visitar.
Suponho que não ignora
Eu a vós vou perguntar
Se quer vender essa joia,
Porque pretendo comprar.

A princesa respondeu:
— Não tenho para vender
Nem por quinhentos milhões,
Me desculpe assim dizer;
Dinheiro não compra ela,
Isso você pode crer!...

Respondeu o feiticeiro:
— Me venda a joia, senhora;
Já que a senhora não vende,
Eu lhe tomo nesta hora;
Avançou para a princesa
Até com os dentes de fora!

Disse a princesa: — Senhor,
De tomar não tenho medo.
Vou rebentá-la no chão,
Que acaba todo enredo.
Dizendo essas palavras,
Tirou a joia do dedo.

— Eu no mundo te achei!
A princesa assim falou.
Bateu a joia no chão,
Que logo se transformou
Em seis caroços de milho —
Ela um no pé apertou.

Quando o feiticeiro viu
A joia ali se quebrar,
Em seis caroços de milho
Depressa se transformar;
Disse: — Valha-me um galo
Para esse milho catar!

Dizendo essas palavras,
Depressa foi se virando
Ali num enorme galo,
Foi logo o milho catando,
Comendo com todo orgulho,
De nada mais se lembrando.

O carocinho de milho
Ali do pé da princesa
Que era o moço Albertino,
Que dela fez a defesa,
Disse: — Valha-me um gato!
E se virou com certeza.

Transformado nesse gato,
O galo velho não viu;
Achando aquilo engraçado,
Ali, a jovem sorriu;
O gato deu um pinote,
Pegou o galo e engoliu!

Depois que comeu o galo,
O gato desencantou.
Num rapagão muito forte
O gato se transformou,
Dizendo: — Minha querida!
E a princesa abraçou...

Ela também abraçou
Dizendo: — Oh! meu querido!
Vingou-me a raiva que tive
Daquele homem atrevido.
Ambos ali se abraçaram,
Houve beijo enternecido.

Ali, naquele momento,
Foi o moço apresentado
Perante o imperador,
O rei daquele reinado,
Dizendo: — Esta princesa
Livrou-me de ir devorado!

A princesa disse ao rei,
Por esta justa razão:
— Este moço era uma pomba,
Vinha atrás um gavião
Para engolir a bichinha,
Sem ter dó nem compaixão.

Vendo a hora de morrer,
Numa joia se virou,
Caiu logo no meu dedo
E desta forma falou:
Que eu não vendesse a joia,
Depressa me avisou.

Então, naquele momento,
Um homem ali foi chegando;
Para eu vender-lhe a joia
Foi ele ali me falando:
"Dinheiro não compra ela",
Eu fui a ele explicando.

Ele avançou pra tomar
E me deu um empurrão,
A joia nesse momento
Eu atirei lá no chão;
Em seis caroços de milho
Virou-se na ocasião.

Em cima de um eu pisei
E, nesse dito momento,
O homem virou-se em galo,
Gigantesco e avarento,
Engolindo ali o milho
Com todo acontecimento.

141

O carocinho de milho,
Assim que o galo viu,
Ligeiro virou-se em gato
E logo se dirigiu,
Projetando um grande pulo,
Pegou o galo, engoliu...

O rei perguntou ao moço
De onde é o senhor?
— Do Reino do Monte Branco,
Sou filho de Nicanor;
Só tem a noite e o dia
Minha mãe Elionor.

Então falou no momento
A majestade real:
— Tu és um mísero pobre
Fugindo do teu rival!
Como queres te casar
Na família imperial?

Suma-se da minha vista,
Não quero mais te enxergar,
Senão eu mando os carrascos
Na forca te exemplar;
Cortando tua cabeça
Para aprender respeitar!

O moço lhe respondeu:
— Dinheiro não vale nada,
É inimigo do corpo,
Faz a alma condenada.
Jesus é contra o orgulho
E o dinheiro é a estrada.

Pois se dinheiro valesse,
Vossa Alteza não morria;
Comprava vida a dinheiro
E para nunca perdia;
O corpo de todo rico
À terra não tornaria.

Se Vossa Alteza negar-me
Da princesa a linda mão,
Eu aqui neste momento
Me transformo num dragão,
Devoro rei e rainha,
Não deixo nem geração!

O rei pegou um apito,
Pondo na boca apitou.
Naquele mesmo momento
Grande batalhão chegou.
— Valha-me aqui um dragão!
O moço assim exclamou.

Quando ele assim gritou,
Em dragão foi se virando.
Foi aí nesse momento
Que os guardas foram chegando,
Vendo aquele grande monstro
Ficaram se horrorizando.

Os guardas naquela hora
Foram às armas disparando,
As balas pegavam nele,
Saíam quase zoando
E o monstro a todo povo
De um a um devorando.

O monstro quando berrava,
A cidade estremecia,
Edifício, arranha-céu,
Com a estremeção caía;
Gente com dez, doze léguas
Com medo disso morria!...

O monstro naquela hora
Engoliu uns dezesseis,
Na segunda abocanhada
Engoliu setenta e seis;
Continuou engolindo
Cento e dez de cada vez!...

Quatrocentos e cinquenta
Soldados o rei perdeu,
Porque nas presas do monstro
Na luta tudo morreu,
Ficando apenas cinquenta
Porque cada um correu!

O rei que viu o rapaz
Transformado em dragão,
A coragem tremedeira
Chegou nessa ocasião,
Encheu a calça e cueca
Ali caído no chão!

O dragão pegou o rei
Atravessou-o na presa
E disse: — Aqui, salafrário,
Quero ver tua defesa!
Te engulo se tu não deres
A mim a mão da princesa!

O rei viu a sua sorte
Torcida, dura e mesquinha.
Só quem podia salvá-lo
Era a linda princesinha.
Gritou: — Meu genro, me solte,
Que dou-lhe até a rainha!

A rainha seminua
Chegou ali nessa hora,
Dizendo: — Não mate o rei,
Peço por Nossa Senhora;
Você casa com a princesa,
Eu digo e será agora!

O monstro a atendeu,
Naquela hora soltou
Aquele rei orgulhoso
E também desencantou;
O moço com a princesa
Em dois dias se casou!

Casou, então, Albertino
Com essa linda princesa,
Bonita, encantadora,
Um primor da natureza,
Pois o moço embriagou-se
Na encantadora beleza.

Então o moço Albertino
Ali era imperador,
Com sua bela princesa,
Formosa como uma flor,
Mandou buscar brevemente
A velha com Nicanor.

Na casa de Nicanor
O portador foi chegado
E quando deu a notícia
Do seu filho já casado,
Ele chorou de contente,
Pois vivia contrariado.

Quando o bruxo feiticeiro
Dele o cavalo comprou
Antes de tirar a brida,
O feiticeiro montou,
O velho dali avante
Da vida se desgostou...

Porque consigo dizia:
"Eu sou um pai desgraçado!
Ora, vendi meu filhinho
A um monstro endiabrado!"
Botou fogo no dinheiro,
Em cinza foi transformado.

No palácio de Albertino
Os seus pais foram chegando,
O velho ali de joelhos
O perdão foi implorando.
Albertino o perdoou;
A ambos foi abraçando.

145

E assim foram viver
Gozando ali a riqueza;
O moço teve vitória,
Pois casou com a princesa;
Saiu ele com seu povo
Daquela infeliz pobreza.

O bruxo foi engolido,
Pois era catimbozeiro.
Virou então o feitiço
Por cima do feiticeiro;
Albertino ficou rico,
Foi um grande aventureiro.

Quem não comprar este livro,
Merece se degolar.
Vou mandar um pernilongo
No mourão o amarrar;
Depois ordeno uma pulga
Matá-lo de ferroar.

João Sem Destino no Reino dos Enforcados

Antônio Alves da Silva

Antônio Alves da Silva nasceu em Mata de São João, BA, aos 7 de junho de 1928. Começou a escrever aos 18 anos. Seus primeiros folhetos foram adquiridos pelo famoso Rodolfo Coelho Cavalcante. Há mais de quarenta anos reside em Feira de Santana, BA. Por cinco vezes, venceu o concurso de literatura de cordel da Fundação Cultural do Estado da Bahia – Funceb. É reconhecido como um dos grandes romancistas do cordel, além de excelente humorista.

Bibliografia básica: *João Terrível e o dragão vermelho*; *Maria Besta Sabida*; *João Azarento na corte da rainha Maravilha*; *As palhaçadas de João Errado* e *Últimos dias de Antônio Conselheiro na Guerra de Canudos*.

Os leitores vão saber
Quem foi o João Sem Destino,
Um rapaz que ficou órfão
Desde o tempo de menino
E largou-se pelo mundo,
Igualmente um peregrino.

Ao completar vinte anos,
Na maior simplicidade,
Vendeu o que possuía
E deixou sua cidade,
Indo em busca de aventuras,
Riqueza e felicidade.

Mas antes se preparou
Com cientistas feudais,
Aprendeu lutar esgrima
Com mestres ocidentais
E todo tipo de luta
Entre as artes marciais.

Foi isto que lhe salvou
De na viagem morrer
Nas mãos de salteadores
Que foram lhe acometer,
Mas ele matou uns seis,
Pondo outros pra correr.

Depois da grande vitória
Contra os ladrões de estrada,
João Sem Destino seguiu
A sua longa jornada,
Dizendo: — No meu caminho
Não terei medo de nada.

Com dez dias de viagem,
Ele chegou de repente
Em um país muito estranho,
De um povo diferente
E viu uma cena triste,
Hedionda e repelente.

Havia muitos cadáveres
Todos ali pendurados,
Pois num dia anterior
Dez homens foram enforcados
E por ordem do monarca
Nunca seriam enterrados.

Quando viu João Sem Destino
Toda aquela crueldade,
Perguntou para um senhor,
Filho daquela cidade:
— Qual a razão de haver
No país tanta maldade?

O homem então lhe disse:
— Meu prezado forasteiro,
O dono deste castelo
É o rei Ciro Terceiro,
Sendo ele o mais perverso
Que há pelo mundo inteiro.

A sua esposa e rainha,
O seu nome é Roseana.
Eles são pais de dois filhos,
Ariovaldo e Diana.
Ela é a moça mais linda
Que nasceu na raça humana!

A princesa é tão formosa
Como uma ninfa encantada.
Quem mirar a sua face,
Desmaia em plena calçada,
Parece a estrela-d'alva
Ao romper da madrugada.

Seu corpo é como o de Eva
Ainda no Paraíso!
Boca mimosa e pequena,
Com traço meigo e preciso.
Não há cristão que resista
Ao brilho do seu sorriso.

Hoje há um movimento
Na grande comunidade,
Porque a linda princesa,
Na sua simplicidade,
Vai sair na carruagem
Pelas ruas da cidade.

E só daqui a três meses
Ela volta novamente
A passear pelas ruas,
Com seu sorriso atraente –
Isto assim o ano todo
Com um cortejo imponente.

Disse então João Sem Destino:
— Sendo assim, eu vou ficar
Para contemplar o rosto
Dessa princesa sem-par.
O homem lhe disse: — Moço,
Nem queira nisso pensar!

Pois o rei fez um decreto
Que vale em todo o reinado:
Quem olhar para a princesa
Pela lei é condenado
E depois do julgamento
Tem que morrer enforcado.

Quem vê a face da moça,
Sem haver apelação,
De acordo a testemunha
Que lhe faz acusação,
O juiz lavra a sentença –
Aí não tem mais perdão!

Antes do cabra morrer,
Pode fazer três pedidos,
Sendo um em cada noite,
E todos são atendidos.
Todos os bens da pessoa
Para o rei são transferidos.

No entanto, ninguém pode
Pedir riquezas ao rei,
Nem se casar com a princesa,
Porque isso é contra a lei.
Agora tome cuidado,
Pois meu aviso eu lhe dei.

Portanto, meu caro jovem,
Mesmo que fique de porre,
Não olhe para a princesa
Do contrário, você morre.
Palavra de rei não volta,
No fim, ninguém lhe socorre!

Aqui chegam muitos jovens,
Vindos de muitos estados.
Alguns olham para a moça
E depois são condenados.
Por três dias ficam presos
E depois são enforcados.

Mas o juiz só condena
O transgressor com certeza
Havendo uma testemunha
Que confirme à realeza
Dizendo: "Eu vi o sujeito
Olhando para a princesa."

As joias do condenado
O rei põe no seu tesouro
Junto com outros pertences:
Seu dinheiro, prata, ouro.
E o coitado então vai
Pagar por seu desaforo.

É por isso que o amigo
No Vale dos Condenados
Avistou vários cadáveres
Numa corda pendurados.
Por isso o país se chama
O Reino dos Enforcados.

O emissário do rei
É o juiz do tribunal,
Que por sua ordem aplica
A sentença capital.
Nessa hora a testemunha
Dá a palavra final.

O homem ali despediu-se
Do jovem João Sem Destino.
De longe, ainda lhe disse:
— Tome cuidado, menino,
Para não cair nas garras
Desse monarca assassino.

João Sem Destino saiu
Bastante impressionado.
Quando chegou no hotel
Passou a noite acordado –
Mesmo sem ver a princesa,
Já estava apaixonado.

Quando amanheceu o dia,
Ele foi para o lugar
Aonde a linda princesa
Haveria de passar,
Até que chegou a hora
Do cortejo começar.

Os guardas iam na frente
Gritando com alvoroço:
— Quem olhar para a princesa,
Seja velho ou seja moço,
Receberá de presente
Uma corda no pescoço.

Quando a princesa passava
Na carruagem tão bela,
Todo o povo dava vivas,
Porém de costas pra ela,
Pois ninguém tinha coragem
De mirar a face dela.

João Sem Destino ficou
De costas pra carruagem.
Ainda tentou virar-se,
Porém faltou-lhe coragem,
Mas não tirava da mente
Da princesa a sua imagem.

No segundo dia, ele
Ficou na parte da frente.
Quando a princesa passava
Tentou olhar de repente,
Mas, não vendo a face dela,
Quase que fica doente.

No terceiro dia, então,
O rapaz não resistiu:
Quando a princesa passava,
Olhou pra ela e sorriu.
Mas o príncipe Ariovaldo
A toda esta cena viu.

E gritou para seu pai,
No momento, sem demora:
— Aquele rapaz do lado
Olhou pra Diana agora.
O rei mandou que os guardas
Prendessem-no nessa hora.

Levaram João Sem Destino
Ao Supremo Tribunal.
O juiz então lhe disse:
— Cometeste um grande mal
E por isso hás de pagar
Pela transgressão brutal.

Você ficará três dias
Com seu juízo absorto
Numa cela da prisão,
Com mordomia e conforto.
Pode fazer três pedidos,
Isso antes de ser morto.

Mas não poderás pedir
Riquezas ao nosso rei,
Nem casar-se com a princesa,
Porque isto é contra a lei –
O resto está liberado.
João respondeu: — Eu já sei...

João Sem Destino falou
Ao juiz do tribunal:
— O meu primeiro pedido,
Acho que vai ser legal
E o rei irá cumprir,
Mas vai pegar muito mal.

Eu peço que o rei Ciro
Que agora se insinua
Corra nu como nasceu,
Piando feito perua,
Isto por toda a cidade,
Sem faltar uma só rua.

Porém o rei, quando ouviu
Esse maldito pedido,
Deu um pulo na cadeira,
Igual um doido varrido
E falou para o juiz:
— Eu desgraço esse bandido!

Pedir para eu correr nu
Pelas ruas da cidade?
Isto é uma ignomínia
Contra a minha autoridade.
Mas o juiz disse: — A culpa
É de Vossa Majestade.

O senhor tem que atender
Ao pedido do rapaz,
Porque palavra de rei
Não pode voltar atrás.
Disse o rei: — Se não tem jeito,
Vou sair queimando o gás.

O rei, nesse mesmo instante,
Saiu por ali bufando,
Pelado como nasceu,
Com os *quimbas* balançando,
Enquanto pelas esquinas
O povo ficava olhando.

No outro dia o juiz
Disse ao rei: — Bela sinuca!
Se no primeiro pedido,
Chegou lhe fundir a cuca,
Neste vai lhe arrepiar
Os cabelos da peruca!

O juiz falou com João:
— Diga o segundo pedido.
Pelo rei Ciro Terceiro
Ele será atendido,
Porque decreto de rei
Por nós tem que ser cumprido.

O rapaz disse: — Pois não.
Agora a vontade minha
É passar hoje uma noite
Dormindo com a rainha.
E o rei dorme na sala
Ou em outra camarinha.

O monarca, ouvindo isso,
Saiu rebentando tudo
E gritou em alta voz:
— Ô pedido cabeludo!
Se ele dormir com a rainha,
Vão me chamar rei chifrudo!

Não tem jeito, meu juiz,
Desse pedido mudar?
Ele disse: — Vossa corte
Isto não vai aceitar,
Porque palavra de rei
Atrás não pode voltar.

O rapaz tem que ir mesmo
Para dormir com a rainha.
O senhor dorme na sala,
No banheiro ou na cozinha.
O rei aceitou dizendo:
— Ô pedido da morrinha!

O rapaz dormiu no quarto
Virado para a janela
De costas para a rainha,
Que nem sequer tocou nela,
Porque ele só pensava
Na sua princesa bela.

Porém o rei lá na sala
Não teve paz nem descanso,
Não dormiu um só minuto
Com ódio e cheio de ranço,
E dizia: — Aquele peste
Está afogando o ganso!

Quando foi no outro dia,
O rei foi ao tribunal
E falou para o juiz:
— Chegou a hora fatal.
Chame aquele miserável
Para o pedido final.

Depois desse vil pedido,
Irei matar esse moço.
Disse o juiz: — Majestade,
Pode engrossar o pescoço,
Pois no terceiro pedido
Vai lhe cair chumbo grosso!

Então chamaram o rapaz
Para a audiência marcada,
Porém João Sem Destino
Planejou uma cilada
Para colocar o rei
Numa tremenda enrascada.

O juiz falou com João,
Já um pouco aborrecido:
— Faça logo sem demora
O seu último pedido.
Ele lhe disse: — Pois não.
Tudo vai ser resolvido.

O meu último pedido
Para o rei será surpresa.
Quero que morra comigo
Quem afirmar com certeza
Que me viu olhar de fato
Para a face da princesa.

O rei Ciro, ouvindo isto,
Disse assim ao magistrado:
— Pelo jeito esse rapaz
Nunca será enforcado.
Quem viu ele olhar a moça
Foi o príncipe Ariovaldo.

O rei falou para o príncipe:
— Meu filho, eu serei seu fã
Se você disser que viu,
Onze horas da manhã,
Esse tal João Sem Destino
Olhar para sua irmã.

O Príncipe disse: — Meu pai,
Quer jogar-me em armadilha?
Talvez que foi o senhor
Que viu no meio da trilha
Esse tal João Sem Destino
Olhando pra sua filha.

Disse o rei: — Eu não vi nada...
Deixe de falar bobagem!
Pois estava cochilando
No centro da carruagem
Talvez que o bobo da corte
Tenha visto com seu pajem.

Chamaram o bobo da corte
E fizeram uma armação
Para o bobo confessar
Que viu esse tal de João
Olhando para a princesa
No meio da multidão.

Falou o bobo ao juiz:
— O rei me mandou aqui
Dizer que vi o rapaz
Olhando a princesa ali;
Na hora eu tapei o *zoio*
Cochilei e... nada vi.

O juiz disse: — Esse bobo
É doido ou abestalhado.
E sem haver testemunha
O moço está liberado,
Porque decreto de rei
Tem de ser observado.

Nisto a princesa falou
Para o pai nessa maneira:
— É melhor que ponha fim
A essa lei carniceira,
Pois esse rapaz agora
Pôs sal na sua moleira.

O rei disse: — Minha filha,
Você tem toda razão.
Esse rapaz é um gênio
E merece ter perdão,
Por isso revogo a lei
Em toda nossa nação.

O rei chamou a rainha
E a ela interrogou
Se o moço no seu quarto
Quando dormiu, lhe tocou.
Ela disse: — Ele na cama
Nem sequer pra mim olhou.

O rei então disse a João:
— Por ser homem de conceito
Vais casar com minha filha
Como juiz e prefeito.
Mas o príncipe Ariovaldo
Disse: — Isto eu não aceito!

Ele pode até casar-se
Com Raimunda, minha prima,
Porém com minha irmã
Só por mim passando em cima,
Por isso eu lhe desafio
Para uma luta de esgrima.

A luta é de vida ou morte
Numa contenda tirana
E se ele me vencer,
Eu cedo a essa ideia insana
E ele pode casar-se
Com a princesa Diana.

O príncipe estava pensando
Que mataria o rapaz,
Por ser campeão de esgrima
Tanto na guerra ou na paz.
No entanto, João Sem Destino
Também não ficava atrás.

Pra essa luta tremenda
O rei deu a permissão.
Nisto o príncipe Ariovaldo
Partiu que só um dragão
Contra o moço, que esperava
Com sua espada na mão.

Travou-se em pleno salão
Uma luta encarniçada.
Se o príncipe Ariovaldo
Lutava bem com a espada,
O bravo João Sem Destino
Era melhor na jogada.

Saíram quebrando tudo
Nos salões do tribunal.
As espadas faiscavam
Naquela luta brutal,
Que pareciam relâmpago
Nas noites de temporal.

Com meia hora de luta,
O príncipe caiu num poço;
João colocou sua espada
Para varar-lhe o pescoço.
O príncipe pediu penico,
Caído nos pés do moço.

E disse a João: — Não me mate,
Que eu serei o seu cunhado,
Case-se com minha irmã
Conforme a lei do reinado.
O rei, lhe ouvindo, disse:
— Ô filho frouxo danado!

O rei não quis mais conversa
E logo ali no momento
Ordenou ao magistrado
Que fizesse o casamento
Do rapaz com sua filha,
Cheio de contentamento.

Casou-se João Sem Destino
Com a princesa Diana
E o rei fez uma festa
Que durou uma semana,
Comeu, bebeu e dançou
Ao lado de Roseana.

A rainha Roseana
Abraçou seu genro amado
E o rei deu uma chance
Ao seu filho Ariovaldo.
Como regente da Corte
O príncipe foi nomeado.

Mas abdicou do trono
Em favor do genro seu
E devido estar doente
Em pouco tempo morreu.
Então João Sem Destino
Disse: — Agora o rei sou eu!...

JOÃO GRILO, UM PRESEPEIRO NO PALÁCIO

Pedro Monteiro

Pedro Monteiro nasceu em Campo Maior, PI, no ano de 1956. Há mais de trinta anos reside em São Paulo, no bairro Cidade Tiradentes, onde tem destacada atuação junto aos movimentos sociais e como liderança comunitária. Ator de teatro e poeta popular, é, ainda, membro-fundador do grupo cultural Caravana do Cordel. Mesmo lendo cordel desde a infância, começou a escrever relativamente tarde, tendo apenas três títulos publicados:

Chicó, o menino das cem mentiras; *O triunfo do poeta no Reino do Cafundó*; este *João Grilo, um presepeiro no palácio*, e alguns inéditos, além de poemas publicados em vários endereços virtuais.

Quero aqui contar em versos
Uma aventura engraçada,
Sobre um bom adivinhão
De astúcia comprovada,
Fazendo revelação
Com uma ave encantada.

Mestre Câmara Cascudo
Fez a catalogação
Desta pérola recolhida
Na fonte da tradição,
Fincada lá nos guardados
Da nossa imaginação.

Vem da tradição oral,
Presente em forma de conto,
Atravessando fronteiras –
Pois quem conta aumenta um ponto!
E gente de toda idade
Aplaude e pede reconto.

Para narrar em sextilhas,
Confesso aqui que inventei,
Refazendo a narrativa,
Muito lhe acrescentei,
Mas, por não ser todo meu,
Assim me justifiquei.

Quando separei João Grilo
Do seu parceiro Chicó,
Foi como se dividisse
A ventania do pó,
Já que nesta ligação
Tem corda, laçada e nó.

Vem da cultura do povo,
Trazida de além-mar,
E entre o céu e a terra
Arranjou o seu lugar,
Aqui contida nos versos
Do poeta popular.

165

E assim o joguei na pele
Deste bom adivinhão,
Pensei selar um acordo
Dentro desta convenção,
E se ele lhe agradar,
É minha a satisfação.

Certa vez, um amarelo
Que não tinha eira nem beira,
Enfrentando crise braba
Naquela terra roceira,
Fugiu da seca medonha,
Saindo pela porteira.

Morava com sua mãe,
De nome dona Maria,
Levando vida pacata
Numa pobre confraria,
Porém, aquilo não era
A vida que ele queria.

E, por ser muito franzino,
Com seu esquisito estilo,
Rebento de sete meses,
Nascido com meio quilo,
De serelepe que era,
Foi chamado de João Grilo.

Era bastante aguçado
Seu tino de danação!
Dono de um faro ardiloso,
Presepeiro como um cão,
Mas, às vezes, parecia
Que tinha bom coração!

Pensando numa maneira
Que pudesse pôr em prática,
Um plano bem orquestrado,
Logo arrumou uma tática,
Buscando precisamente
Resposta na matemática:

— Quem tira de vinte e oito,
Vinte e sete têm clareza
Que só vai lhe sobrar um,
E, por essa natureza,
Só conto mesmo é comigo!
E disso eu tenho certeza.

Por viver como agregado,
Já não tinha vida boa,
Com o castigo da seca,
Nem sequer uma garoa!
Cuidou em fazer a trouxa
Pra vagar no mundo, à toa.

Se plantasse, não nascia
Naquele torrão em pó;
Caçar não adiantava,
Só via peba e mocó,
Tinha até gente comendo
Rapadura com jiló!

Não tendo mais que fazer,
Frente à secura danada,
Disse: — O mundo é minha casa...
Pensou em nova empreitada,
Abraçou a sua mãe
E bateu em retirada.

Por apego àquela terra
E ao povo que lá deixou,
Aquela triste partida
Seu coração apertou,
Foi somente a inteligência
A bagagem que levou.

Largando-se mundo afora,
Com seu pobre matulão,
Pensando vencer na vida
Inventou a arrumação,
De oferecer serviços
Dizendo-se adivinhão.

Depois de andar mil léguas,
Um palácio ele avistou,
Pediu para pernoitar,
O rei de pronto aceitou.
Foi então que o João Grilo
Ligeiro se apresentou.

Como um bom astucioso
Passou-lhe logo a conversa.
O rei ficou inseguro,
Com ideia controversa,
Mesmo se achando cercado
De muita gente perversa.

Prontamente acreditando
Ser ele um adivinhão,
Disse-lhe: — Meu bom rapaz,
Vens em boa ocasião;
Vejo que este palácio
Está cheio de ladrão.

Tenho notado o sumiço
De joia e de muito ouro,
Diamantes dos mais raros
Avaliado um tesouro,
Eles não têm dado tréguas
Nem pros tapetes de couro!

E ordenou a João Grilo:
— Você não entre em dilema,
Descobrirá os larápios,
Desvendará seu esquema.
Se não descobrir, verá
O tamanho do problema!

Porque se não o fizer,
Não sairá daqui vivo...
E trate de adivinhar
Se não, terei um motivo
Pra querer sua cabeça,
Ou tomá-lo por cativo.

O Grilo naquele instante
Teve um frio na barriga,
Sabia que se falhasse
Entraria numa intriga,
Daria o pescoço à forca
Em pagamento da briga.

No primeiro dia, João
Coisa alguma adivinhou.
Comeu do bom, do melhor
E nada ali desvendou,
Mas, falando a um criado,
Este quase desmaiou.

Foi na hora do café
Esta grande agitação.
Quando o criado chegava
Com a bandeja na mão:
— O primeiro já está visto!
Disse-lhe o adivinhão.

Este falava do novo
Dia que tinha chegado,
Mas, pensando ser com ele,
E por ser mesmo culpado,
O criado amarelou
Dum jeito desesperado.

Chegando o segundo dia
Logo ao amanhecer,
Outro criado trazia,
Para não desmerecer,
Mais uma farta bandeja
Querendo lhe oferecer.

E o João Grilo lhe disse:
— O segundo já está visto!
Acometido do susto,
Pois se julgava benquisto,
O criado quase rende
A alma pra Jesus Cristo.

E gritou: — Sou o ladrão,
Que merece ser punido!
Fui pego pela mandinga
Desse amarelo enxerido.
E apontou o seu comparsa,
Que com ele foi detido.

João ficou muito assustado
Com a repentina sorte,
Por seu motivo de crença,
Recorreu à reza forte,
Dizendo: — Eu hoje escapei
De ver a cara da morte.

O rei ficou satisfeito
Com a sua habilidade,
E pediu que ele ficasse,
Pois tinha necessidade
De um bom adivinhão
Com sua capacidade.

E depois de sete meses
Desfrutando vida boa,
No conforto do palácio,
Não sendo mais um à toa,
Houve a maior confusão
Com o roubo da coroa.

Aquela coroa era
Para o rei tão importante
Quanto a sua própria vida,
Pois, além de dominante,
Tinha o símbolo das lutas
De dinastia distante.

Então, chamou o João Grilo
E depressa foi dizendo:
— Se você recuperá-la,
É bom que fique sabendo:
Dar-lhe-ei grande tesouro
Para não ficar devendo!

Mas, ouça bem o que digo:
Para você se safar
Dessa tremenda enrascada,
Terá de me comprovar;
Se não for bom adivinho,
Eu mandarei lhe matar!

Naquela hora, João Grilo,
Temendo por sua sorte,
Perdeu a respiração,
Sentiu o braço da morte,
E então naquele ambiente
Recendeu um cheiro forte!

Mas pra não perder o tino,
De olho na empreitada,
Invocou sabedoria
E, numa grande sacada,
Ele transformou um galo
Em uma ave encantada.

Botou o bicho num cesto
E pôs-se a recomendar:
— Zé Quixaba, fique atento,
Pra poder denunciar
Só quando a mão do ladrão
O seu topete tocar.

Organizou os criados
Postos à disposição,
De maneira enfileirada
Para esfregar a mão
Na crista do velho galo
(A sua grande armação).

Garantindo que o galo
Era quem denunciava.
Sentindo a mão do ladrão,
Ele logo se ouriçava,
Esticava o seu pescoço,
Batia asa e cantava.

Mas olhava como quem
Quisesse pôr a cangalha,
E quando alguém punha a mão
Dentro do cesto de palha,
Tocando as costas do galo
Debaixo de uma toalha.

E com embargo na voz
Ele fez uma oração:
— Oh! Meu galinho encantado,
Tu, que és adivinhão,
Diz agora para mim
Qual é a mão do ladrão!

Ao terminar o serviço,
O João Grilo ordenou
A abertura das mãos
E ligeiro observou:
— Temos aqui dois culpados
Que o galo denunciou.

Prendam depressa estes dois!
Disse isso e foi explicar:
— Os verdadeiros ladrões,
Para tentar despistar,
Nem tocaram a mão no galo
Com medo dele cantar...

Para que compreendessem,
Logo ele emendou dizendo:
— Eu passei tisna no galo,
Quando não estavam vendo,
E por serem os culpados
Só fingiam estar fazendo.

Recomendando que todos
Passassem a mão no galo,
Na cabeça de quem deve
Ressoou dando um estalo!
Como se fossem garrafas,
Os peguei pelo gargalo.

O Grilo ainda explicou
Aquela feliz manobra,
Melar de tisna o seu galo
Fez parte daquela obra:
— Só põe a mão na cumbuca
Quem tem coragem de sobra!

Os larápios foram presos,
Recuperou-se a coroa,
Voltou a paz no reinado
Com uma festança boa,
E o João Grilo ali era
A mais querida pessoa.

Passada a noite da festa,
O rei o chamou e disse:
— Amigo, eu lhe prometi,
Sem que nada me pedisse,
Que me apontasse o ladrão
Antes que o cabra fugisse.

Você fez tudo direito,
Cumprindo bem seu dever,
Agora grandes riquezas
Também irá receber,
Pois do que foi combinado
Eu não posso me esquecer.

Por isso que lhe ofereço
Toda minha lealdade,
Se você ficar aqui,
Não usarei vaidade:
Vou lhe conferir o título
De segunda majestade.

Porém João Grilo lhe disse:
— Vossa Alteza, eu lhe agradeço.
Também tenho no senhor
Muita estima e grande apreço,
Porém quero armar a rede
No meu antigo endereço.

Senhor rei, preciso ir
Fazer uma boa ação
Em favor daquele povo
Que vive na exploração.
Perdoe, mas vou lhe dizer:
Meu lugar é no sertão!

E assim João Grilo voltou
Rico para sua terra.
A fortuna que ganhou
Ele não gastou em guerra:
Distribuiu entre os pobres!
Do seu velho pé de serra.

A todos eu agradeço
A estimada atenção,
Na história que narrei
Deste bom adivinhão,
Adaptada em cordel
Pra esta publicação.

O Reino da Torre de Ouro

Rouxinol do Rinaré

Rouxinol do Rinaré nasceu em Rinaré, Quixadá, CE, aos 28 de setembro de 1966. Seu nome verdadeiro é Antonio Carlos da Silva. Foi premiado nacionalmente com o primeiro lugar no I Concurso Paulista de Literatura de Cordel, em 2002, e o segundo lugar na segunda edição do mesmo concurso, em 2003. É autor de uma primorosa versão para o cordel de *O alienista* de Machado de Assis. É assessor da editora IMPH, de Fortaleza. Ministra oficinas e profere palestras sobre a literatura de cordel, da qual é um dos autores mais destacados.

Bibliografia básica: *Astúcias do jagunço Sabino*; *O justiceiro do Norte*; *O guarda-floresta e o capitão de ladrões*; *Encontro de Raul Seixas com John Lennon no céu*; *O matador de dragões* e *Os martírios de uma mãe iraquiana*.

Musas santas que inspiraram
O grande poeta Homero
Iluminem minha mente
Porque versejar eu quero
Um conto maravilhoso
Que li em Sílvio Romero.

De uma boa fada espero
Terno toque de magia
Pra ir ao mundo das ninfas
No Reino da Fantasia
E saciar minha sede
Na fonte da poesia!

Vejo, num mundo distante,
As pessoas assustadas
Por perigos invisíveis,
Encantos e emboscadas,
Com seus destinos entregues
A feiticeiras e fadas!

Desse mundo estranho e mágico
Quero informações completas;
Assim caminho por ele
Sem temer malignas setas
Porque o Poder Supremo
Sempre protege os poetas.

Ao Reino da Torre de Ouro
Chegando ouvi uma voz
De uma fada que tramava
Um plano perverso, atroz,
Para encantar um castelo
Com seu príncipe Barceloz.

Barceloz era um romântico,
Enamorado das flores,
Capaz de causar inveja
A todos os beija-flores;
Passava as noites velando
Suas rosas multicores.

No jardim próximo ao castelo,
Enquanto estava a velar,
Cumprindo o fado, três fadas
Se aproximam do lugar.
— Fademos, manas, fademos...
Uma se pôs a falar.

Mas outra disse: — Esse príncipe
Com sua veneração
Nos impede junto às flores
De cumprir nossa missão.
Vamos julgá-lo essa noite,
Sem chance de remissão!

Aquelas três fadas más
Confabulando entre si
Decidem por encantar
Barceloz, quando ele ali
Entretido, na janela,
Namorava o bogari.

Falou a primeira fada:
— Por nos ter atrapalhado,
Barceloz, por sete anos,
Há de viver encantado
Tendo essa flor por sustento,
Sem falar, paralisado.

Depois a segunda disse:
— Essa corte tão bonita
Se tornará mata virgem,
Desolada e esquisita,
Pois, durante sete anos,
Ninguém lhe fará visita.

Sentenciou a terceira,
Encerrando o julgamento:
— Por cumprir a mesma pena,
Quando chegar o momento,
Somente a Ninfa dos Bosques
Quebra o seu encantamento!

Ditas, pois, estas palavras
O moço logo encantou-se
Com a família e os criados.
Tudo em volta transformou-se
Entre raios e trovões,
A natureza abalou-se.

E ali, rapidamente,
Cresce a mata tenebrosa.
Como quem se compadece
A noite chora chuvosa
Por Barceloz que cumpria
Tal sina calamitosa.

No Reino da Torre de Ouro,
Que antes fora tão belo,
O sol não mais refletia
Na torre o raio amarelo,
Pois por anos não se via
Nem vestígio do castelo!

Após seis anos que o moço
Barceloz cumpria a sina,
A bela Ninfa dos Bosques
(Que chamavam Peregrina)
Faz seus sete e desencanta
Sob a brisa matutina.

Quando a Ninfa despertou
Do seu sono duradouro,
Caminhou como o sedento
Que procura um bebedouro
E seguiu em direção
Ao Reino da Torre de Ouro.

Guiada pelo destino
Para o antigo reinado,
Não sabia Peregrina
Que estava determinado
Que por suas mãos seria
Barceloz desencantado.

Durante um dia inteirinho
Peregrina caminhou
E quando chegou a noite
Um abrigo procurou.
Numa árvore bem copada
A Ninfa se agasalhou.

Na mesma árvore onde ela
Abrigou-se na floresta,
Chegam as fadas, alta noite,
E uma disse: — Haverá festa,
Pois do encanto do príncipe
Já bem pouco tempo resta...

Continuaram falando,
Pensando que estavam a sós:
— Peregrina, em alguns meses,
Determinada por nós,
No Reino da Torre de Ouro
Desencanta a Barceloz!

A Ninfa que ouvia tudo
Ficou quieta e assustada,
Consciente da missão,
Ao romper da alvorada,
Pôs-se a caminho, pois era
Bastante longa a jornada.

Por longos dias e noites
A Ninfa peregrinou.
Para cumprir seu destino
Incansável caminhou,
Porém muitos obstáculos
Pela estrada enfrentou...

Expôs-se ao calor do dia
E aos perigos da noite,
Às chuvas e temporais
Com o vento num frio açoite.
Cansada, na mata escura,
Ela fazia o pernoite!

Após vários meses ela
(Trêmula de fome e de frio)
Avista alguém, finalmente,
Nesse percurso sombrio:
Era uma velha lavando
Roupa na beira de um rio.

A velhinha vendo a Ninfa
Perguntou num tom amigo:
— Anda perdida, netinha?
Você quer morar comigo?
Peregrina diz: — Não posso,
Mas preciso de um abrigo!

Não posso ficar morando,
Pois estou só de passagem.
Porém, como estou cansada,
Eu aceito uma hospedagem;
Descanso por alguns dias
E depois sigo viagem.

Disse a velhinha, expressando
Muita ternura no rosto:
— De acolher-te em minha casa
Eu quero ter esse gosto.
Prosseguiu: — Não demoremos,
Pois já é quase sol-posto!

Quando elas chegaram a casa,
Fez-se uma grande zoada
Como repiques de sino.
A Ninfa exclamou pasmada:
— Que barulho estranho é esse
Que ouço à minha chegada?!

— Oh, netinha, não te assustes!
(A velha assim respondeu)
Isto é somente o meu filho
Que a ti não reconheceu.
E o filho, que era um monstro,
Em seguida apareceu.

181

A velhinha então ao filho
Peregrina apresentou.
— Aonde você está indo?
O monstro lhe perguntou.
— Desencantar Barceloz,
A Ninfa assim replicou.

No Reino da Torre de Ouro,
Que hoje é mato fechado,
Barceloz, um belo príncipe,
Ali dorme enfeitiçado.
Somente por minhas mãos
Pode ser desencantado.

No julgamento das fadas
Teve um destino infeliz.
Mas, ao passar sete anos,
Assim a sentença diz:
"Peregrina o desencanta
Para fazê-lo feliz!"

Sendo o monstro um feiticeiro,
Falou-lhe: — Preste atenção.
Tu terás três obstáculos
Pra cumprir tua missão
E só poderás vencê-los
Com minha orientação.

Primeiro, dois obstáculos
Encontrarás pela frente:
Um beija-flor perigoso
E uma terrível serpente.
O terceiro é a inveja
Que enfrentarás finalmente!

É difícil alguém livrar-se
Do bico do beija-flor:
Fura a pele, arranca os olhos,
De quem ao castelo for
E ao pé da janela a cobra
Só em vê-la causa horror!

Para vencer os perigos
Que tens de enfrentar ali
Darei duas armas mágicas
Que irão ajudar a ti:
Leve esta bola de vidro
E esta flor de bogari.

Numa fonte, ao meio-dia,
O beija-flor vai beber.
É costume da serpente
Nessa hora adormecer.
Escute com atenção
O que tu deves fazer...

Prosseguiu o feiticeiro:
— Com o beija-flor ausente
Ponha o bogari na boca
Do seu príncipe inconsciente,
Depois a bola de vidro
Na boca da tal serpente.

Mas o bogari do galho
Deverá ser arrancado,
Pois voltando o beija-flor,
Por ele será beijado
O que o príncipe tem na boca,
Só assim dá resultado.

Depois de instruir a Ninfa
Disse o monstro: — Vá sem medo!
E, ao encontrar Barceloz,
Tire e mantenha em segredo
Um bonito anel de ouro
Que o príncipe tem no dedo.

Antes que o príncipe desperte
Deve o anel ocultar,
Pois o terceiro obstáculo
Que você tem de enfrentar
Será somente esse anel
Que poderá te salvar!

Após descansar três dias,
A Ninfa se despediu
Da velha e do feiticeiro
E a jornada prosseguiu,
Disposta a tudo fazer
Conforme o monstro instruiu.

A flor e a bola de vidro
Peregrina conduzia,
Porém devia chegar
Ao castelo ao meio-dia,
Na ausência do beija-flor,
Quando a serpente dormia.

Com os amuletos mágicos
Seguia a Ninfa contente.
Ainda por alguns meses
Andou incansavelmente,
Repousando apenas quando
Morria o sol no poente.

Tomava banho e bebia
Quando encontrava um regato.
Comia frutos silvestres,
Dormia à noite no mato...
Até que o tempo do príncipe
Chegasse ao limite exato.

Quando o tempo do encanto
Foi finalmente cumprido,
Chegou Peregrina ao reino.
No belo jardim florido
Viu o príncipe Barceloz
Junto à flor, adormecido.

Era meio-dia em ponto,
Então, num gesto ligeiro,
Do dedo de Barceloz
A Ninfa tirou primeiro
Seu anel, seguindo à risca
A ordem do feiticeiro.

Arrancou a flor do galho
Que pendia à sua frente;
Botou na boca do príncipe
O bogari, finalmente,
Pegou a bola de vidro,
Pôs na boca da serpente.

Ali reinava o silêncio,
O tempo estava parado.
Nem uma brisa soprava,
Nenhum galho era agitado,
Mas de repente esse quadro
Foi totalmente mudado...

Rompendo a calma da mata
Do vento se ouviu a voz
Nas asas do beija-flor
Que chegou ali veloz
E beijou o bogari
Na boca de Barceloz.

O beija-flor cai no chão
E dali não mais se evola.
Logo a serpente desperta
(O drama se desenrola),
Furiosa quer morder,
Mas quebra os dentes na bola!

Tal resultado espantoso
A Ninfa viu com surpresa.
Aquele ermo cenário
Foi retomando a beleza,
Como num passe de mágica
Transformou-se a natureza.

O príncipe desencantou-se,
Ribombou forte um trovão.
Foi ressurgindo o castelo
(Numa fantástica visão)
Se erguendo feito uma planta
Que vem brotando do chão!

Também o rei e os criados
Despertaram em instantes
E o sol na torre de ouro
Lançou seus raios brilhantes.
Tudo ali voltou a ser
Do mesmo jeito de antes.

O rei, pai de Barceloz,
Aos conselheiros falou:
— Eu quero recompensar
A quem o reino salvou.
Mas a Ninfa, no momento,
Ali não se apresentou.

Disse o rei: — Darei por prêmio
Enorme soma em dinheiro
A quem quebrou esse encanto...
Concluiu, por derradeiro:
— Se for moça tem por prêmio
Casar-se com o príncipe herdeiro.

A Ninfa, que pelo príncipe
Havia se enamorado
E que não medira esforços
Para salvar seu amado,
Pensando em casar com ele,
Se apresentou no reinado.

Os conselheiros do reino,
Quando a Ninfa observaram,
Mostrando reprovação
Com deboche cochicharam.
Por ter aparência frágil
Dela os sábios duvidaram.

De repente outra mulher
Chega e diz à realeza:
— Fui eu quem desencantou
O reino e a Vossa Alteza
E vim para reclamar
O meu lugar de princesa.

Condenaram a Ninfa à morte
Por motivo interesseiro
E dali como impostora
A levaram ao cativeiro.
Porém na prisão lembrou-se
Do que disse o feiticeiro...

Recordou dos obstáculos
Que teria de enfrentar:
A inveja era o terceiro.
E, para se libertar,
Lembrou do anel do príncipe
Que o monstro mandou guardar.

Peregrina, que sonhara
De Barceloz ser consorte,
Inadvertidamente
Fora condenada à morte,
Mas o anel, com justiça,
Mudaria a sua sorte.

Após três dias que estava
Peregrina encarcerada,
Veio buscá-la o carrasco
Para ser executada.
Ela seguiu como quem
Se encontra resignada.

Mas, antes da execução,
O rei disse com nobreza:
— Faça seu último pedido!
A Ninfa diz, com surpresa:
— Quero entregar esse anel
Que fará minha defesa!

Barceloz, ali presente,
Seu anel reconheceu.
Peregrina relatou
Tudo como aconteceu...
E o monarca convencido
A sentença reverteu.

A Ninfa ele absolveu,
Sendo à justiça fiel,
Mandou prender a rival.
A invejosa e cruel
Foi condenada a beber
Da própria taça de fel!

A mulher que aparentava
Formosura sem igual
Com sinistra gargalhada
Se transformou afinal
Numa bruxa porque era
A encarnação do mal.

Virou fumaça e sumiu
Após espantoso estouro!
A Ninfa casou com o príncipe,
Seu almejado tesouro.
E eu fui padrinho dos dois
No Reino da Torre de Ouro!!!

O RICO PREGUIÇOSO E O POBRE ABESTALHADO

Arievaldo Viana

Arievaldo Viana Lima nasceu na Fazenda Ouro Preto, Quixeramobim, sertão central do Ceará, aos 18 de setembro de 1967. Poeta popular, editor, xilógrafo, desde criança exercita sua verve poética, mas só publicou seus folhetos em 1989, quando lançou, com o poeta Pedro Paulo Paulino, numa caixa com dez títulos, a Coleção Canção de Fogo. É o criador do projeto Acorda Cordel na Sala de Aula e tem cerca de cem folhetos e quatro livros publicados. Alguns folhetos, como *Carta de um jumento a Jô Soares*, foram escritos em parceria com o irmão, Klévisson Viana.

Outros títulos: *O batizado do gato*; *Proezas de Broca da Silveira* (com Pedro Paulo Paulino); *Jerônimo e Paulina*; *História da rainha Ester*; *Atrás do pobre anda um bicho*; *O crime das três maçãs*; *História de Luzia-Homem* e *O príncipe Natan e o cavalo mandingueiro*.

Quando o homem foi expulso,
Cheio de mágoa e desgosto,
Dos jardins do Paraíso,
Deus lhe disse, do seu posto:
— Hás de ganhar o teu pão
Com o suor do teu rosto!

Ficou o homem vagando
Na Terra, Vale de Dores,
Mas logo seus descendentes
Revelaram seus pendores,
Pois surgiram os dominados
E os cruéis dominadores.

O mundo está repleto
De ganância e de cobiça
O rico, quanto mais tem,
Mais o desejo o atiça;
E na contramão padece
Quem é pobre ou tem preguiça.

Quem nasce pra não ter nada
A sorte é uma graúna,
Não pode alcançar os louros
Que repousam na tribuna,
Mas há aqueles a quem
Deus promete e dá fortuna.

Nos sertões de Pernambuco,
Há muito tempo passado,
Viveu um rico sovina
Muito ardiloso e malvado,
Compadre de um camponês
Simplório e abestalhado.

Então o compadre pobre
Tinha preguiça por cem,
Era pai duma ninhada
Miúda igual a xerém
E às custas do seu suor
Nunca ganhou um vintém.

No fundo de uma tipoia
Passava o dia roncando,
Se a mulher reclamasse
Ele saía zombando;
Enchia a cara de cana,
Voltava se pabulando.

Histórias mirabolantes
O preguiçoso contava;
Se alguém de bom coração
Na conversa acreditava,
Ele pedia uma esmola
E assim a vida levava...

Sua mulher revoltada
Não cansava de insistir:
— Marido, vai trabalhar!
E ele dizia a sorrir:
— O que tiver de ser meu,
Às minhas mãos há de vir.

Quando ela se indignava
Com tanto descaramento,
Lançava mão de um pau,
Então, sem acanhamento,
Dava pancada em seu lombo
Como se dá num jumento.

Então na hora da surra
O preguiçoso dizia:
— Valei-me, meu Deus do céu,
Valei-me Santa Maria,
Quem confia em Deus alcança,
A sorte lhe chega um dia!

Depois da surra saía
Tristonho e desconfiado,
Pegava a sua tipoia,
Chorando desconsolado,
Armava a rede no mato
Para dormir sossegado.

Ali se punha a chorar
Mas logo se consolava,
Dormia horas a fio
E a sono solto roncava
E só voltava pra casa
Quando a fome o apertava.

Na solidão da floresta
Ele ouvia os passarinhos,
Sentia o cheiro das flores
E esquecia os espinhos
Dessa vida de ganância
De homens maus e mesquinhos.

Um dia ele foi pro mato,
Depois de grande porfia,
Porém, antes de deitar-se,
Pediu à Virgem Maria
Que lhe indicasse um meio
Pra se livrar da agonia.

Quando ele pegou no sono,
No mesmo instante sonhou;
Nossa Senhora em pessoa
Do céu à terra baixou
E um cacho de bananas
Pertinho dele deixou.

Então a Virgem Maria
Em sonho pôs-se a dizer:
— Bananas iguais a essas
Na terra não há de ter,
Pra cada fruta comida
Outra haverá de nascer.

Nos jardins do Paraíso
O cacho foi encontrado,
Junto da árvore da vida
Germinou e foi criado,
Seu fruto não apodrece,
Renasce quando tirado.

193

Mas antes de retirar-se
A Virgem recomendou:
— Não mostre ao compadre rico,
Este aviso eu lhe dou!!!
Passaram-se dez minutos,
Então o pobre acordou.

Olhou debaixo da rede,
Então, com grande alegria,
Viu um cacho de bananas
Tão lindo, que reluzia!
Cada fruta que tirava
Logo outra renascia.

Então o compadre pobre,
Bicho do quengo lesado,
Não se lembrou do aviso
E correu alvoroçado
Para mostrar ao compadre
O que havia ganhado.

Saiu a toda carreira
E exclamava a sorrir:
— Bem que eu sempre dizia,
Quem se atreve a retorquir?
O que tiver de ser meu
Às minhas mãos há de vir!

Na porta do ambicioso
Muito contente gritou:
— Compadre, agora estou rico!
Pois Deus de mim se lembrou...
Porém o compadre rico
Zangado lhe retrucou:

— Lá vem você outra vez
Com mentira e pabulagem!
Enche a cara de cachaça,
Só vive de malandragem,
Seus filhos morrem de fome
Porque lhe falta coragem!

Depois que o compadre rico
Lhe censurou à vontade,
O pobre pôs-se a mostrar
Sua grande novidade,
As bananas renasciam
Provando que era verdade.

Ficou o rico pasmado
Devido à grande ambição,
Mas logo fingiu-se calmo
E armou seu alçapão:
Trouxe um litro de cachaça
E botou sobre o balcão.

O pobre, que não podia
Ver um litro da branquinha,
Bebeu até ficar tonto,
Depois que deu-lhe a morrinha,
O rico mandou guardar
Seu cacho lá na cozinha.

Trouxe um cacho parecido,
Botou no mesmo lugar.
Quando o pobre melhorou,
Tratou de se retirar.
Então na porta de casa
Chegou feliz a gritar:

— Mulher, nós estamos ricos!
Eu trouxe um cacho encantado!
Mas a mulher, percebendo
Que ele estava embriagado,
Já foi saindo na porta
Com o cipó levantado.

— Mulher, não seja teimosa,
Deixe de ser tão ruim,
Pois hoje Nossa Senhora
Em sonho veio até mim,
Deu-me um cacho de bananas,
Cujo valor não tem fim!

E para provar que ele
Vinha dizendo a verdade,
Chamou logo a filharada,
Mandou comer à vontade,
Mas não nasceu uma só,
Foi grande a calamidade.

Com isso a mulher danou-se,
Chamou-lhe de mentiroso,
De cabra ruim, de safado,
De velhaco astucioso...
Quase que mata de pau
O pobre do preguiçoso.

No outro dia, o coitado,
Cheio de mágoa e tristeza,
Armou a rede no mato,
Então, pra sua surpresa,
Sonhou que a Santa lhe dava
Uma toalha de mesa.

Era a toalha dotada
De dons espetaculares,
(Quando posta sobre a mesa
Sob todos os olhares),
Dizia-se: — Serve-te, mesa!
Surgiam ricos manjares.

Carne de todos tipos,
Doces de vários sabores,
Frutas, saladas e doces,
Queijos, vinhos e licores,
O pobre ajoelhando-se
Rendia grandes louvores.

Nossa Senhora outra vez
Tornou a recomendar:
— Na casa do seu compadre
Você não deve passar,
Pois ele é astucioso,
Pode outra vez lhe enganar!

Porém o compadre pobre,
Abestalhado que era,
Em vez de se dirigir
Pra sua humilde tapera,
Foi à casa do ricaço
Exibir sua quimera.

Fez a mesma presepada;
Pôs a toalha na mesa,
Mandou a mesma servi-los,
Houve abundância e beleza,
Manjares de fino gosto
Via-se ali com franqueza.

O rico cheio de astúcia
Lhe embriagou outra vez,
Sorrindo pensou consigo:
"Esse daqui é freguês"...
Trocou a dita toalha
Por outra que a mulher fez.

Ao curar a carraspana,
O pobre saiu danado,
Chegou na sua choupana
E falou alvoroçado:
— Minha mulher, estou rico!
Agora estou arranjado!!!

Nossa Senhora me deu
Uma toalha encantada,
Ela mesma põe a mesa,
E não deixa faltar nada:
Licores, vinhos e doces,
Mantas de carne guisada!

Pôs a toalha na mesa
E começou a gritar:
— Mesa, pode nos servir,
Não precisa se acanhar,
Estou falando a verdade
E agora quero provar!

Logo a mulher percebeu
Que ali não tinha magia,
Trouxe um cabo de vassoura
Do mais grosso que havia.
Então baixou-lhe o cacete,
Com redobrada arrelia.

O pobre choramingando
Pegou a rede de novo,
Saiu dali escondido
Igual um pinto no ovo,
Foi para o mato outra vez,
Se escondendo do povo.

Então, devido à fadiga,
Pôs-se a dormir novamente.
Nossa Senhora surgiu
Numa nuvem reluzente,
Deu-lhe uma bolsa repleta
De ouro resplandecente.

A bolsa era encantada
E nunca se esvaziava:
Surgia outra moeda
Pra cada que se tirava,
De forma que a tal bolsa
De modo algum se esgotava.

No sonho, Nossa Senhora
Avisou-lhe novamente:
— Fique sabendo, meu filho,
Este é o último presente,
Não vá mostrar ao ricaço,
Não seja inconsequente!

O pobre quando acordou
Não podia nem falar,
De posse daquele ouro
Disse: — Eu vou comemorar!
Na bodega do compadre
Foi o seu vício matar.

Chegando desconfiado
Mandou botar u'a bicada,
E por baixo da camisa
Trazia a bolsa guardada,
Mas o rico interesseiro
Fingia não notar nada.

Bastou ele embriagar-se
Pra dar com os burros n'água.
Disse ao compadre: — Acabou-se
O meu sofrer, minha frágua,
Ouro pra mim é brinquedo
E cana pra mim é água!

Nossa Senhora me deu
Um verdadeiro tesouro,
Sonhei com ela outra vez,
Cercada de anjo louro,
Veio me dar uma bolsa
Que está repleta de ouro.

Disse o rico: — Ora mais esta,
O ouro pode acabar,
Você é descontrolado...
Disse o pobre: — Deixa estar,
Nela aparece uma moeda
Pra cada que se tirar.

Disse o rico: — Eu quero ver!
O pobre então lhe mostrou.
O rico empurrou cachaça
E, quando o besta arriou,
Trouxe uma bolsa fajuta,
Pegou a dele e trocou.

O pobre foi para casa
Ansioso por mostrar
Aquela bolsa encantada,
Mas, quando pôs-se a gastar,
A bolsa ficou vazia –
Mais nada pôde encontrar.

A mulher indignada
Cobriu-lhe de palavrões
Perguntando: — O que fizeste
Com a bolsa dos dobrões?
Disse o coitado inocente:
— Fomos vítimas de ladrões!

Foi para o mato outra vez
Bastante contrariado,
Por lá armou sua rede,
Mas não dormiu sossegado.
Nossa Senhora não veio
E nem lhe mandou recado.

O pobre muito enfadado
Dormiu, porém não sonhou,
Quando foi de manhãzinha
Sua rede desarmou,
Debaixo de seu chapéu
Um chicotinho encontrou.

Na copa do seu chapéu
Estava a trança enrolada,
Era um chicote de couro
De trança bem trabalhada.
Como um flagelo divino,
Encheu-lhe então de lapada.

Quanto mais ele gritava,
Mais o chicote batia.
O pobre desesperado
Pra todo lado corria,
Uma força misteriosa
O tal chicote impelia.

Depois de muito apanhar,
Lembrou de Nossa Senhora,
Valeu-se d'Ela e gritou:
— Chicote, parai agora!
Por um milagre, o chicote,
Parou nessa mesma hora.

Nesse o momento o chicote,
Cumprindo ordens do céu,
Enrolou-se em espiral
E assim, de déu em déu,
Se acomodou direitinho
Lá no fundo do chapéu.

O pobre saiu correndo
Com o dito chapéu na mão.
O rico, quando avistou-lhe,
Não conteve a emoção.
Levantou-se de onde estava,
Foi lhe encontrar no portão.

— Compadre, o que há de novo?
O rico lhe perguntou.
— Compadre, é este chapéu...
Assim que o pobre mostrou,
O ricaço atoleimado
Na própria "cuca" botou.

Nesse instante começou
O *show* de pancadaria,
Sentindo seu couro em brasa
O rico se contorcia.
O pobre, bem satisfeito,
Ao ver a cena, sorria.

— Conheça agora, compadre,
Que eu não estou a pagode!
Então o compadre rico,
Berrando mais do que bode,
Gritava desesperado,
Dizendo: — Quem me acode?

O pobre disse: — O chicote
Grande estrago vai fazer,
E eu só mando parar
Se o compadre resolver
Devolver tudo que é meu,
Do contrário vais morrer!

Tem gente que só aprende
Depois que o couro comeu...
O rico disse: — Compadre,
Eu devolvo o que é seu.
Pare o chicote que eu trago
Tudo que a Santa lhe deu!

O pobre mandou parar,
O chicote obedeceu,
E o rico envergonhado
Desse modo conheceu.
Bolsa, banana e toalha,
Ao compadre devolveu.

O pobre foi para casa,
Calado, sem dizer nada.
A mulher veio encontrá-lo,
Com a feição bem zangada,
Ele botou seu chapéu
Na cabeça da malvada.

Um festival de lapada
Desde os pés até a pança
Fez a coitada gritar
Até pelo Rei de França.
O pobre disse: — Conheça
A força da minha trança!

De agora em diante eu
Não suporto cara feia,
Se vier com desaforo,
Desato a minha correia,
E mandarei meu chicote
Depressa meter a peia!

Então depois que a mulher
Estava bem exemplada,
Ele mostrou os presentes
Pra ela e pra filharada
E a partir daquele dia
Pra eles não faltou nada.

Depois desse dia o pobre
Ficou mais inteligente,
Tornou-se mais controlado,
Não tomou mais aguardente,
Bebia alguma cerveja,
Porém moderadamente.

Nessa história o leitor viu
Que a ganância e a cobiça
Fazem o homem trilhar
Os caminhos da injustiça,
E viu também as mazelas
Do vício e da preguiça.

Hoje a ganância do homem
Está matando a floresta...
Sem árvores, os passarinhos
Não podem fazer a festa;
Portanto vamos salvar
O pouco que ainda resta!

Agora, caro leitor
Estamos em outra instância
Vamos fazer nossa parte
A vida tem relevância;
Lutemos contra esse bando
De homens que estão matando
O planeta por ganância.

O CONDE MENDIGO E A PRINCESA ORGULHOSA

Evaristo Geraldo da Silva

Evaristo Geraldo da Silva nasceu aos 28 de setembro de 1968, em Quixadá, CE, em uma família de onze irmãos, na qual cinco são poetas. Adaptou para o cordel *A Dama das Camélias*, de Alexandre Dumas Filho (publicado pela Nova Alexandria, em 2010). É irmão do também cordelista Rouxinol do Rinaré.

Bibliografia básica: *A incrível história da imperatriz Porcina*; *O conde mendigo e a princesa orgulhosa*; *O príncipe que fez de tudo para mudar o destino*; *A lenda da Iara ou os mistérios da Mãe-D'Água*; *Os últimos dias de Pompeia* e *O feitiço de Áquila*.

Que a musa mãe dos poetas
Me cubra de amor e paz,
Para narrar uma história
Dos tempos medievais,
Recheada de mistérios
Drama e conceitos morais.

Já li histórias estranhas
Cheias de gente ruim,
De cavaleiro afamado,
Fada, príncipe e serafim
E aqui transcrevo ao leitor
Um conto dos Irmãos Grimm.

Deus não faz separação,
Pois vê todo mundo igual:
Rico, pobre, índio ou negro,
Sem distinção social,
Quando morrem todos vão
Enfim pro mesmo local.

Essa história foi tirada
Duma narrativa em prosa
Que fala de uma princesa
Muito bonita e mimosa,
Porém de péssima conduta,
Soberba e muito orgulhosa!

Sidônia era essa princesa
Cheia de luxo e ousadia,
O seu pai era um monarca
Duma grande dinastia,
Que o povo tinha por ele
Confiança e simpatia.

Porém essa tal princesa
Tinha um orgulho voraz.
Todos a achavam linda,
E ela se julgava a mais
Importante criatura
Entre todos os mortais.

Ninguém pra ela era digno
De olhar pra sua beleza.
Não cumprimentava nem
Os nobres da realeza
Por isso foi detestada
Também por sua avareza.

O rei seu pai já vivia
Desgostoso e angustiado
Devido ao gênio da filha,
Pois sempre era avisado
Do modo como a princesa
Se portava no reinado.

Quando chegou na idade
De a princesa se casar,
O rei seu pai então manda
Muitos jovens convidar
Para que a moça pudesse
Um pretendente encontrar.

Atenderam seu chamado
Elegantes rapagões,
Todos bem conceituados,
Cavaleiros campeões.
Até vieram rapazes
De outras grandes nações.

O rei deu uma grande festa,
Como manda a tradição.
Tinha tudo em abundância,
Houve muita animação
Pra ver assim se a princesa
Abrandava o coração.

A festa foi deslumbrante,
Num clima muito envolvente,
Porém, apesar de tudo,
O rei não ficou contente,
Porque a linda princesa
Se mostrava indiferente.

Os jovens a cortejavam
Com o respeito que convém,
Mas ela, toda orgulhosa,
Com um seco e frio desdém,
Fechava a sua carranca,
Não olhava pra ninguém.

Quando terminou a festa
O rei, todo esperançoso,
Perguntou: — Quem escolheste
Para ser o seu esposo?
Ela diz: — Não me agradei
Desse povinho asqueroso!

O rei manda novamente
Chamar em outros reinados
Jovens de boa aparência,
Ricos e conceituados
Pra cortejar sua filha
Mostrando seus predicados.

Novamente a jovem moça
Não se agradou de ninguém.
Disse: — Para me casar
Preciso conhecer bem
Pois o Q.I. desse homem
Tem que ultrapassar os cem!

Já pela terceira vez
O rei tenta novamente:
Faz uma festa pomposa
Com muita gente imponente,
Porém a jovem princesa
Prosseguia indiferente.

O rei ficou furioso
Disse: — Isso já é demais!
Porém caso essa orgulhosa
Com o primeiro rapaz
Que venha pedir-lhe a mão;
Eu juro: não volto atrás.

209

Assim que o rei terminou
De fazer tal juramento,
Apareceu um mendigo,
Moço sem acanhamento,
E pediu para o monarca
A princesa em casamento.

Mas quando Sidônia ouviu
O pedido do rapaz,
Correu chorando pro quarto,
Se maldizendo demais,
Pois sabia que a palavra
Dum rei nunca volta atrás.

O rei então chama a filha
Dizendo: — Guarde o que digo:
Não adianta esse choro,
Pois pra isso já não ligo,
Porque te dei por esposa
Para esse jovem mendigo.

Naquele mesmo momento
Foi tudo sacramentado
E o rei falou para os dois:
— O caso está encerrado.
Vão embora, pois não quero
Vocês aqui no reinado!

O mendigo sai com ela
Montando um velho jumento;
Seguiram por um caminho
Sujo e muito poeirento
E nessa noite de núpcias
Os dois dormem no relento.

O casal dorme bem próximo
Duma plantação de uva.
A jovem dormiu ali,
Sem camisola e sem luva,
E, pra piorar o caso,
Ainda veio uma chuva.

No outro dia eles chegam
Em uma pobre choupana.
A princesa vendo a casa
Exclama: — Oh, vida tirana!
Deixei minha realeza
Pra viver feito cigana.

O mendigo diz pra moça:
— Sempre saio a mendigar,
Sem saber a hora certa
De quando vou retornar.
Você fica em casa e cuida
Das obrigações do lar.

Tem que acordar bem cedo,
Antes que o sol desponte.
Vá ao rio, lave a roupa,
Traga lenha lá do monte
E a água para bebermos
Busque da mais limpa fonte.

A moça disse: — Não faço!
Porém fez tudo obrigada;
Buscou água e cortou lenha,
Cumpriu a grande empreitada,
E por fim inda deixou
A casa toda arrumada.

Assim os dias correram,
Ela sempre trabalhando.
Cuidava de sua casa,
Deixava tudo brilhando,
Devido àquela labuta
Seu caráter foi mudando.

Certo dia, seu marido
Disse: — Vamos conversar.
Eu estou muito doente,
Não posso mais mendigar,
Mas lhe arranjei um serviço
Para enfim nos sustentar.

O cozinheiro do conde
Disse que lhe empregaria
Pra trabalhar de criada,
Lavar toda prataria.
Ele lhe dará dinheiro
E o jantar de cada dia.

Sidônia ali chorou muito,
Mas não teve solução.
O marido disse: — Vá
Cumprir sua obrigação,
Pois do contrário iremos
Passar muita precisão.

Esse trabalho será
Muito pesado e intenso,
Mas procure o cozinheiro
Do grande conde Lourenço.
Faça tudo com destreza,
Seja mulher de bom-senso.

No outro dia bem cedo
Sidônia foi pra labuta
Procurar o cozinheiro,
Já bastante resoluta,
Pois sabia que teria
Um dia cheio de luta.

Ela chegou num palácio
Muito belo e colossal.
Lá chegando, então falou
Com um certo serviçal,
O qual conduziu Sidônia
Ao cozinheiro afinal.

O cozinheiro lhe disse:
— A sua tarefa é dura.
Lave logo essas panelas,
Que estão sujas de gordura,
Depois quero o chão bem limpo!
Ele ordenou, sem brandura.

212

Quando acabou a tarefa,
A cozinha estava bela.
O cozinheiro lhe disse:
— Leve pra casa a panela
Com o resto da comida,
Mas volte amanhã com ela.

Depois de passar um mês
Ela estava acostumada,
A cozinha era um brinco,
Limpa e sempre arrumada,
Pois, entre todas as servas,
Ela era a mais prendada.

Porém quando no palácio
Havia festividade,
A música fazia a moça
Lembrar de sua cidade.
Então seu peito se enchia
De tristeza e de saudade.

E em sua mente Sidônia
Refez sua trajetória:
Recordava seu passado
De *status*, poder e glória;
E agora ela levava
Vida difícil e irrisória.

Quando era dia de festa,
Voltavam as recordações:
Lembrava que recusou
Muitos príncipes e barões,
Enfim casou com um mendigo
E passava privações.

Mas ela aprendeu gostar
Desse jovem pobretão.
E Sidônia aos poucos foi
Tendo por ele afeição,
Até que tal sentimento
Se transformou em paixão.

Essa moça com o tempo
Já não sentia desgosto;
Trabalhava o dia todo,
Chegava em casa ao sol-posto,
Inda tratava o esposo
Com um sorriso no rosto.

Numa noite quando ela
Saía bem escondida
Levando pro seu marido
O tal resto de comida,
Ao passar pelo jardim,
Foi então surpreendida.

Os convidados, que vinham
Na mais perfeita alegria,
Sorrindo cercaram a moça
Lhe fazendo cortesia,
E ela, suja e fedendo,
Muito desgosto sentia.

A pobre moça sentiu
Desconforto e embaraço,
Sem saber o que fazer,
Ficou qual pássaro no laço,
Pois o grupo a conduzia
Lhe puxando pelo braço.

Estas pessoas estavam
Vestidas com muita gala
E Sidônia envergonhada
Pareceu perder a fala.
Assim ela foi levada
Pra uma bonita sala.

Nessa sala tinha um homem
Alto, elegante e barbado,
Que parecia ser chefe
Daquele povo animado,
Porque ele se vestia
Perfeitamente alinhado.

Quando o homem viu Sidônia,
Correu para lhe abraçar,
Mas ela grita e o empurra
Dizendo: — Vá se aquietar,
Pois não lhe dei cabimento
Para você me agarrar.

O barbudão respondeu:
—Tenha calma, pense um pouco;
Eu não vou lhe fazer mal,
Pois não sou covarde ou louco;
Se acalme e não me empurre
E pare de me dar soco.

Se quiser morar comigo,
Pode ficar sem receio.
Dar-lhe-ei joias e roupas
E momentos de recreio.
Deixe aquele seu marido
Que, além de pobre, inda é feio.

Sidônia então respondeu:
— Vou lhe falar com franqueza:
Mesmo sendo feio e pobre,
Sem *status* de grandeza,
Eu não troco o meu marido
Por toda a sua riqueza.

Assim que Sidônia disse
Isso para o tal barbado,
Ele respondeu pra moça:
—Está tudo comprovado.
Você agora mostrou
Ter finalmente mudado.

Nesse momento Sidônia
Achou tudo tão jocoso,
Pois o barbudão tirava
Sua barba todo orgulhoso.
Aí, ela percebeu
Por trás da barba o esposo.

A moça tomou um susto
Que o rosto ficou tenso.
Então o marido disse:
— Sou eu o conde Lourenço.
Fiz isso para provar
Seu caráter e bom-senso.

Disfarcei-me de mendigo
E seu pai tudo sabia.
Eu quis saber se você
Gostava de mim um dia
Pela pessoa que sou,
Não pelo que eu possuía.

Não és mais uma princesa
Prepotente e orgulhosa.
Transformou-se e agora é
Uma mulher virtuosa;
Tá pronta pra ser condessa,
De todas a mais ditosa.

Essas pessoas presentes
Vieram lhe conhecer.
São todos familiares,
Gente de grande poder.
Juntos vamos festejar
Até quando amanhecer.

O rei e pai de Sidônia
Também veio pro festejo.
Ao chegar, abençoou-a
E então lhe deu um beijo,
Dizendo: — Deus te ilumine,
É tudo que te desejo.

Os dois viveram felizes
E na mais perfeita paz.
A história de Sidônia
Foi escrita nos anais
Para provar que o orgulho
Não constrói algo, jamais!!!

Pedro Malasartes e o Urubu Adivinhão

Klévisson Viana

Antônio **Klévisson Viana** Lima, poeta, editor e ilustrador, nasceu em 1972, em Quixeramobim, sertão central do Ceará. Escrevendo desde criança, estreou como poeta em 1998. Autor de mais de cem folhetos de cordel, dirige a Tupynanquim Editora, de Fortaleza. Seus trabalhos já foram adaptados para o teatro e a televisão, a exemplo do romance *A quenga e o delegado*, para o programa *Brava gente*, da Rede Globo.

Bibliografia básica: *O cantor e a meretriz*; *A verdadeira história de Lampião e Maria Bonita* (em parceria com Rouxinol do Rinaré); *João da Viola e a princesa interesseira*; *O príncipe do Oriente e o pássaro misterioso*; *A chegada de Michael Jackson no portão celestial* (com João Gomes de Sá) e *O cangaceiro do futuro e o jumento espacial*.

Que meus versos soem fortes,
Tais tiros de bacamartes,
Qual um estrondo de risos
Vindo de todas as partes,
Nesta comédia engraçada,
De humor e trapalhada,
Sobre Pedro Malasartes.

Lembro o povo no alpendre
Nas noites enluaradas,
Histórias de assombração,
Das sextilhas bem rimadas,
De amarelos sabichões,
De Malasartes, Camões,
Grilo e outros camaradas.

Sempre procuro escrever
Sobre as coisas do sertão,
Pois o meu canto é telúrico
(Vem das entranhas do chão!).
Trago o cheiro da umburana,
E o doce do mel da cana,
Tudo no meu matulão.

Sílvio Romero e Cascudo
E outros grandes baluartes
Também em suas pesquisas
Divulgaram Malasartes;
É um mito popular
Que pra sempre vai estar
Em quase todas as artes.

Este Pedro Malasartes,
Surgiu em terras distantes,
Como "Pedro de Urdemalas"
('Tá na obra de Cervantes);
Veio da Península Ibérica
Pra nossa Latina América
Na mala dos imigrantes.

No Nordeste brasileiro,
Este mito é muito forte:
Existem várias histórias
Narrando-lhe vida e morte;
Ardiloso e picaresco,
Faz de pimenta refresco,
Usando de astúcia e sorte.

Pedro Malasartes foi
Um menino endiabrado.
Não se metia em questão
Pra não lograr resultado.
Mesmo sendo amarelinho,
Cabeçudo e bem magrinho,
Atrevido e malcriado.

De rosto comprido e fino
Olho esperto, aboticado,
Sua pele tinha a cor
Do amarelo queimado;
Tinha um comprido pescoço,
A cabeça era um caroço
De manga, quando chupado...

Foi preguiçoso ao nascer
(Quase que passa da hora!).
Do ventre de sua mãe
Não queria vir pra fora;
Penso que a calmaria,
Longe de toda agonia,
Foi motivo da demora.

Um menino igual àquele
No mundo não existiu
(Se Deus fez outro, igualzinho,
De mandá-lo desistiu;
Perdeu o material,
Passou do ponto, afinal
E a fôrma se partiu).

Mesmo assim, ele atraía
Para si toda atenção:
Um contador de lorotas,
Um moleque brincalhão,
Muito comunicativo,
Cresceu esperto e ativo,
Vencendo qualquer questão.

Seu pai, pobre agricultor,
Trabalhava de alugado;
Se esforçou a vida inteira,
Vivendo sempre quebrado:
Por ali tudo faltava
Co'o dinheiro que ganhava,
Comia um pão apertado...

Aos cinco anos de idade,
Fazia qualquer mandado
(Só nunca serviu foi para
Fazer serviço pesado:
Via na inteligência
A verdadeira ciência
Do homem civilizado).

Certa feita, o seu bom pai
Mandou o Pedro ir buscar
O couro de um bode velho,
Que um compadre ia matar.
Ao voltar com a encomenda,
Passando em frente a uma venda,
Alguém pôs-se a perguntar:

— Ô menino, isto é um bode?
Disse Pedro: — É só o couro!
— Ele é seu? (Pergunta o homem)
A resposta é um estouro:
— Não senhor, esse é do bode!
Se me tirar a pagode,
Eu não levo desaforo!

Pedro cresceu pobrezinho,
Junto com o mano João,
Que, ao contrário de Pedro,
Era tolo e bestalhão;
No trabalho, era esforçado
(Pedro, vivia deitado,
Sem ir atrás de patrão)...

Quando o velho pai de Pedro
Partiu para o outro mundo,
Este, vendo que seu mano
Teve um desgosto profundo,
Deu a casa a seu irmão
Pra seguir outro rifão,
Como um ente vagabundo.

Malasartes virou mundo
E dizia, sorridente:
— Não tenho medo de alma,
Só tenho medo de gente!
Não me venha com careta:
Chapéu de otário é marreta,
E mal de piolho é pente!

Macaco é bicho sabido,
Nunca temeu desacato,
Porém, na beira de um açude,
Inda perde para um pato!
Eu honro meu sobrenome
Porque, quem guarda com fome,
Tome cuidado com gato!

Num cavalo magricela
Que seu pai tinha deixado
Ia para toda parte:
No esqueleto montado,
Parecia assombração;
Quem via a arrumação
Ficava impressionado.

Desde muito jovem, Pedro
Já tinha um quengo certeiro
(Passava quinau em cabra
Que se julgava matreiro!);
De padre, nunca gostou
Mas, certo tempo, gozou
Da fama de milagreiro.

Num pequeno povoado
Chegou Pedro, certo dia,
Pediu rancho em uma casa,
Quando a noite já surgia.
Percebendo agitação,
O dono da casa, então,
Passava grande agonia.

Vendo a hora, sua esposa
Ali, de parto, morrer
(A parteira, agoniada,
Não sabia o que fazer:
A pobre, desesperada,
Com a criança atravessada
Dando trabalho em nascer).

Já Pedro, com muita fome,
Esperava a refeição
Para ele e seu cavalo;
Porém, devido à aflição,
Começou raspar u'a vela
(Pois numa hora daquela
Ninguém lhe dava atenção).

Pegou lápis e papel,
U'as palavras escreveu;
Fez então um patuá.
Logo depois, se benzeu,
Pegou a raspa de vela,
Misturou numa panela
Com água fria e bebeu.

Falou Pedro, bem contrito:
—Valha-me, São Nicolau!
Com a pena do galo sura,
As asas do bacurau,
Acuda, São Filismino!
Se não nascer o menino,
Eu vou tomar o mingau!

Revirando os olhos, disse:
— Acuda, meu São Longuinho!
Minha Santa Briguilina,
Venha deixar o anjinho!
A mãe está apertada:
Se a porteira 'tá fechada,
Venha mostrar o caminho!

O homem, com a "mandinga",
Ficou impressionado
Pois 'tava do lado e viu
Pedro, de olho virado;
Malasartes, com o ato,
Fingiu que era beato,
Pensando em comer folgado...

De um pedaço de couro
Fez um saco pequenino:
Costurou muito ligeiro
E pôs um cordão bem fino;
Disse: — Leve a oração
Tendo fé, de coração,
Ligeiro nasce o menino!

No pescoço da mulher,
O homem pôs o cordão;
Dali a cinco minutos
Foi grande a satisfação:
Sua mulher deu à luz,
Agradecendo a Jesus
E ao poder da oração...

O homem, bem satisfeito,
Mandou matar um carneiro
E deu de presente a Pedro
Um pacote de dinheiro;
Tendo milho pro cavalo,
Usufruiu do regalo
Por ali um mês inteiro...

Sua fama se espalhou
Naquela povoação
(Falavam de seu poder
Com respeito e devoção);
Mesmo depois que partiu,
Muita *feme* inda pariu
Com a bendita oração...

Uma velhota sapeca,
Que julgou tudo mutreta
Descosendo o patuá,
Xingou, gritou, fez careta
Pois dentro tinha um letreiro:
"Encho a pança o mês inteiro...
Chapéu de otário é marreta!"

Seguiu Pedro viajando
Por vilas e povoados,
Se valendo da astúcia
E de planos bem formados;
Não gostava de patrão,
Pois, para roubar ladrão,
Pedro era dos preparados...

Pedro encontrou, certo dia,
Uma carniça de gado
Já em decomposição,
Que a seca tinha matado;
Os urubus disputavam
E por ali espalhavam
Os restos p'ra todo lado.

Pedro lembrou que trazia
Ali, na sua algibeira,
Dos brinquedos de criança,
Uma velha baladeira:
Depois de umas três pedradas
Uma ave foi baleada,
Pra Pedro "fazer a feira"...

Pedro pegou o urubu
Que a pedra tinha acertado
(O bicho 'tava ferido
Ligeiro foi amarrado).
Disse Pedro: — Com esse bicho,
Se tratá-lo com capricho
Eu como um belo guisado!

Mais tarde, Pedro encontrou
No caminho uma fazenda
E pensou, com seus botões:
"Esta veio de encomenda,
Vamos ver logo o que faço
E como armo o meu laço,
Usando esta minha prenda!"

Fingindo-se de mendigo,
Logo gritou: — Ô de casa!
Veio ali uma criada
Com os olhos cor de brasa,
Disse: — Sai daqui, fuleiro!
Se não, eu quebro ligeiro
Desse bicho a outra asa.

Pedro disse: — Minha tia,
Só peço por merecer
Uma coisinha de nada
Pra meu bichinho comer...
A velha armou-se de vara,
Bateu-lhe a porta na cara
E de nada quis saber.

Pedro, então, viu um jirau
Naquela casa encostado;
Usando o mesmo, subiu
E se escondeu no telhado
(Ficou lá só espiando
O que estava se passando,
Porém sem ser avistado).

O senhor daquelas terras
Se encontrava viajando;
Sua esposa, traiçoeira,
Estava, então, preparando
Um banquete importante
Para agradar um amante,
Que a dita vinha acoitando...

Pedro viu lauto banquete:
Um bem assado leitão
E a criada tratando
De um saboroso faisão;
Vinho do porto gelado
E peru, bem temperado.
Tudo para o "Ricardão"...

Disse a mulher ao amante:
— Pode vir, que estou fagueira
(O besta só vem domingo,
Temos a semana inteira)!
Faço um jantar caprichado...
Nos seus braços, meu amado,
Nosso amor vira fogueira!

Vamos deixar os amantes
(Cada qual mais descarado)
E o Pedro Malasartes,
Lá no telhado trepado;
Na estrada, o fazendeiro
Voltava do seu roteiro,
Antes do dia marcado...

O fazendeiro apeou-se
Do seu cavalo possante.
Bateu na porta de casa
E esperou um instante;
Quem abriu foi a criada,
Ficando tão descorada
Com a surpresa importante...

Quando a esposa e o amante
Ouviram a voz do marido,
O cabra pulou a cerca
(Quase que perde o sentido!);
A mulher, dissimulada,
Fingindo não haver nada,
Trocou depressa o vestido.

Aquela mulher tão falsa
Não se fez de constrangida:
Saiu para recebê-lo,
Sorrindo, muito fingida.
Pra não cair em cilada,
Mandou ligeiro a criada
Esconder toda a comida...

Mandou servir ao esposo
Uma modesta porção
E falando, muito falsa:
— Amor do meu coração,
Se tivesse me avisado,
Eu teria preparado
Uma melhor refeição!

Apesar de muito rico,
Esse homem era modesto;
Sempre trabalhou correto,
Era bom e muito honesto.
Sentou-se, então, com prazer
E começou a comer
Sem fazer nenhum protesto.

Nessa hora, Malasartes
Desceu, então, do telhado
Conduzindo o urubu
Pelas asas pendurado;
Bateu na porta da frente
E o homem, sorridente,
Foi ver quem tinha chegado.

Malasartes disse ao homem:
— Estou prestes a morrer,
Pois há dias perambulo
Neste mundo sem comer!
Por favor, até um pão
Ou um prato de feijão
Pode me satisfazer!

O fazendeiro, mostrando
Que tinha bom coração,
Chamou Pedro Malasartes
Abriu pra ele o portão,
O conduziu para a mesa
E ali, com toda presteza,
Repartiu a refeição.

Nessa hora, a tal mulher,
Olhando para a criada,
Com o retorno de Pedro
Ficou de tudo intrigada,
Pensando que seu marido
Tinha mandado o sabido
Para armar-lhe uma cilada...

Malasartes, já na mesa,
Pôs embaixo o urubu.
No coitado, então, pisou;
Foi tão grande o sururu!
Pedro deu uma cutucada
Bem na asa machucada;
O bicho piou: — Uh! Uh!

O dono da casa ouviu
(Tomou um susto danado!);
Logo depois, resmungou:
— Moço, que bicho invocado!
Porque 'tá piando assim?
'Tá agourando, coisa-ruim?
Ou tu pisaste o coitado?

— Não senhor, 'tá conversando...
Este bicho é tão sabido!
Foi criado por um gênio
Que o fez muito instruído;
Fala francês, alemão,
Português e catalão...
Porém, é muito metido!

— Ha! Ha! Esse bicho fala?
(O homem deu gargalhada)
— Ele fala, sim, senhor,
É sério, meu camarada!
Ele sabe quase tudo
E, segundo meu estudo,
É uma ave encantada!

Por exemplo, está dizendo
Que sua nobre patroa,
Sonhando que o senhor vinha,
Preparou comida boa!
É uma grande surpresa,
Que ela trará à mesa
Pra louvar sua pessoa!

— Por favor, conte-me logo:
Que surpresa boa é esta?
Disse Pedro: — É um peru,
Bem recheado pra festa!
Era para a sobremesa,
Que ocultava a surpresa...
Vamos logo ver se presta!

— Verdade, minha senhora,
O que fala o urubu?
Que você 'tá me escondendo,
Um recheado peru?
Temendo ser apanhada
Com a comida guardada,
Ela grita: — Era pra tu!!!

Depois disse: — É bem verdade;
Este bicho adivinhão
Descobriu toda a surpresa
Que guardei pro meu pimpão...
E gritou para a criada:
— Traga a comida apressada,
Que está lá no fogão.

Conduzindo o tal peru,
Logo veio a empregada
(Com um jeito carrancudo,
Meio que contrariada).
Deixou na mesa o manjar,
Tratou de se retirar
Com uma cara emburrada...

Logo depois, Malasartes,
Com um carinho de fada
Taca os pés no urubu,
Lhe dá outra bordoada;
O homem já diz: — Amém!
(Ouvindo outro *rém-rém-rém*
Da ave desesperada).

— O que ele disse agora,
Nessa grande confusão?
— Está dizendo que, ali,
Tem escondido um leitão
Bem gostoso e temperado
E que também tem guardado
Um saboroso faisão!

— Verdade, minha mulher,
O que o bicho está dizendo?
Que outras boas iguarias
Tu estás nos escondendo?
— Marido do coração,
Esse bicho é sabichão,
Pois de tudo está sabendo...

Vem, Maria, traz então,
Todo o resto da comida!
Traga doces e quitutes
Mais o resto da bebida,
Que este bicho é bem matreiro!
'Tá nos tirando a terreiro,
Ô ave feia e enxerida!

Veio logo para a mesa
O saboroso leitão...
Um cheiro maravilhoso
Do tempero do faisão...
Veio bebida em tonéis
(E Pedro comeu por dez
Essa boa refeição)...

Quase que morrem de raiva
A mulher e a empregada,
Porque, com aquele bicho,
A farsa estava acabada;
Ficou fula, resmungando,
Pois já 'tava acreditando
Que a ave era encantada...

Depois do grande banquete,
Entraram em negociação,
Pois o homem quis comprar
A ave de estimação...
Pedro não era beócio
E o urubu, no negócio,
Vendeu por um dinheirão...

Malasartes ao bom homem
Falou, por esta maneira:
— Cuide bem da sua prenda,
A ave *adivinhadeira*!
Mas quero algo informar:
Ela gosta de apontar
Toda mulher traiçoeira!...

A mulher, ouvindo aquilo,
Ficou de tudo assustada:
Livrou-se daquele amante,
E buscou ter vida honrada...
Devido ao bicho sabido,
Não mais traiu o marido
Pra não ficar malfalada...

Malasartes, com dinheiro,
Foi viver mais à vontade;
Junto com o mano João,
Se mudou para a cidade,
Investiu bem seu dinheiro,
Conheceu o mundo inteiro,
Sem passar necessidade...

As artes de Malasartes
Klévisson Viana escreveu,
Lembrando o herói plebeu:
Este vive nos contrastes,
Vindo de encontro às artes,
Inspiração que é do povo...
Sabidão que tem aprovo,
Saltimbanco do cordel;
O verso, com o menestrel,
Nasce esse mito de novo.

As três folhas da serpente

Marco Haurélio

Marco Haurélio nasceu aos 5 de julho de 1974, na localidade Ponta da Serra, município de Riacho de Santana, BA. Poeta popular, editor e folclorista, coordena, pela editora Nova Alexandria, a Coleção Clássicos em Cordel.

Autor de *Contos folclóricos brasileiros*; *Contos e fábulas do Brasil*; *Breve história da literatura de cordel* e dos livros infantis *O príncipe que via defeito em tudo*; *A lenda do Saci-Pererê* e *Os três porquinhos em cordel*. Em cordel, lançou *Presepadas de Chicó e astúcias de João Grilo*; *História da Moura Torta*; *Nordeste – terra de bravos*; *Belisfronte, o filho do pescador* e *O herói da Montanha Negra*.

Eu vou narrar uma história
De inigualável beleza
Sobre um valente soldado
Movido pela nobreza,
Que enfrentou neste mundo
A traição e a vileza.

Num casebre miserável
De todo o mundo isolado
Vivia um pobre viúvo,
Pela miséria assolado,
E só não era mais triste
Por ter um filho ao seu lado.

Este moço recebeu,
Na pia, o nome de João;
O pai se regozijava
Com sua dedicação,
Só lamentava não dar-lhe
Uma cômoda posição.

Porém, devido à pobreza,
O viúvo adoeceu,
Mesmo João o acompanhando,
A moléstia não cedeu,
A alma deixou o corpo,
Deus na glória o recebeu.

João sepultou o seu pai
Perto duma penedia,
Armou-se da velha espada,
Que de herança recebia,
E saiu, sem ter destino,
Na tarde do mesmo dia.

Andou por terras estranhas,
Aprendeu vários ofícios,
Venceu as dificuldades,
À custa de sacrifícios,
Mas nunca se consumiu
Na labareda dos vícios.

Já com vinte e cinco anos,
Era um rapagão decente,
Sua figura chamava
Atenção de toda a gente,
Pois, além do belo porte,
Era por demais valente.

Então, o rei da Irlanda
Empregou-o como soldado –
De todos do batalhão
Ele era o mais destacado;
Só não subia de posto
Por não ser dissimulado.

Porém aquela nação
Achou-se em cruenta guerra,
Assim, João foi convocado
Para a defesa da terra
Contra o poderoso exército
Da impiedosa Inglaterra.

Viam navios ingleses
Em todo canto atracados,
E, do seu interior,
Saírem muitos soldados,
Ferozes e sanguinários,
Até os dentes armados.

Do lado dos irlandeses
Boa parte então debanda.
O sangue dos que resistem
Tinge de rubro a Irlanda,
E os ingleses avançando
Com uma fúria nefanda.

O comandante das tropas
Bradou: — Guerreiros, avante!
Mas uma flecha assassina
Atingiu-o num instante,
Deixando as tropas da Irlanda
Privadas do comandante.

Os soldados irlandeses
Fugiam apavorados;
João postou-se em sua frente,
Gritando: — Bravos soldados,
Por que vós estais fugindo
Como coelhos assustados?

Julgais que os brutos ingleses
Seguirão corretas trilhas?
Pois cairão feito cães
Em incontáveis matilhas,
Desonrando nossa Pátria,
Nossas mulheres e filhas!

Dizendo aquilo, avançou
Na direção do inimigo,
Sob uma chuva de flechas,
No mais tremendo perigo,
Chamando os ingleses para
Bater em armas consigo.

Nenhuma flecha o atingiu,
Pois o Céu o protegia,
Cada golpe desferido,
Um inimigo caía,
Outros fugiam com medo,
Vendo tanta valentia.

Quando os seus compatriotas
Viram a bravura de João,
Enfrentando os inimigos,
Com a fúria de um leão,
Gritaram: — Enquanto vivermos,
Ninguém toma o nosso chão!

E retomaram a batalha,
Com uma ira incontida;
Os ingleses recuaram,
Temendo perder a vida –
Assim, João venceu a guerra,
Que já se achava perdida.

Foram os navios ingleses
Quase todos incendiados,
Porém alguns escaparam,
Mesmo desmoralizados,
E os que morreram acabaram
Por abutres devorados.

O rei da Irlanda, sabendo
Que devia o trono a João,
Nomeou-o comandante,
Com muita satisfação –
Até da filha do rei
Chamou o moço atenção.

O pai, sabendo que ela
A João consagrava amor,
Ficou feliz, pois o moço
Tinha mostrado valor
E herdaria o seu trono
Um honrado contendor.

O rei chamou João e disse:
— Meu filho, neste momento,
Diz se aceitas Isolda,
Minha filha, em casamento?
Pois a cederei com gosto
A quem tem merecimento.

João a amava também;
Logo, respondeu: — Aceito.
E, no prazo de dois meses,
O casamento foi feito,
Sendo assim dois corações
Unidos no mesmo leito.

Aquela princesa tinha
Uma ideia extravagante
Que assustava os pretendentes
E os mantinha bem distante,
Mesmo que ela fosse uma
Joia de brilho ofuscante.

Pois ela havia jurado
Que só ia se casar
Com um noivo que aceitasse
Com ela se sepultar,
Se acaso a morte a levasse,
Antes dele se findar.

Porém, se o noivo morresse,
Ela o acompanharia
Em sua última viagem,
E com ele morreria –
João, casando-se com ela,
Da estranha jura sabia.

Mas ele dizia assim:
— É tão grande o meu amor,
Por Isolda morrerei,
Sem um pingo de temor,
Pois sem ela minha vida
Perderá todo valor.

Dois anos em harmonia
Aquele casal viveu,
Porém, a linda princesa
Nesse tempo adoeceu,
E, sem médico que a salvasse,
A bela Isolda morreu.

João lembrou-se da promessa
E ficou sobressaltado,
Tanto pela dor da perda,
Quanto pelo combinado,
Pois com a esposa morta
Seria ele sepultado.

O rei mandou os seus guardas
Vigiarem noite e dia,
Porém, nem era preciso,
Pois o moço não fugia,
E a mulher à sepultura
Ele acompanharia.

Três dias depois, o corpo
Foi para a cripta levado.
O fiel esposo João
Também se viu obrigado
A entrar com seu amor
Para morrer ao seu lado.

O rei lhe ofereceu –
Para levar à prisão –
Quatro garrafas de vinho,
Quatro pedaços de pão
Mais quatro velas acesas
Combatendo a escuridão.

O moço velava a esposa,
Com um carinho sem-par,
Comendo e bebendo pouco,
Começando a fraquejar,
Perdendo a força vital,
Vendo o seu tempo minguar.

Com quatro dias, o corpo
Começa a putrefazer,
A beleza de seus traços
Via desaparecer,
E João ali esperando
Que a morte o fosse colher.

Nisto viu grande serpente
Surgindo duma abertura,
Indo em direção à morta –
E mesmo na cripta escura,
João sacou a espada e disse:
— Fora daqui, criatura!

Viu o monstro aproximar-se
Do corpo de sua amada;
Gritou: — Enquanto eu for vivo,
Isolda será poupada
Do teu hálito pestilento,
Serpente amaldiçoada!

E partiu para a serpente,
Com sua espada de aço,
Dando-lhe um grande golpe
Bem no meio do espinhaço,
Depois, tornou acertá-la,
Com toda a força do braço.

Morta a terrível serpente,
João resolveu se sentar,
Mas pela mesma abertura
Viu outra serpente entrar
E da companheira morta
Os três pedaços juntar.

Trouxe na boca três folhas,
Que pôs em cada ferida,
Os pedaços se ajuntaram,
A morta voltou à vida,
E fugiu com a companheira,
Com força restituída.

Contudo, as três folhas verdes,
Que deram vida à serpente,
Foram deixadas pra trás
E o rapaz, rapidamente,
Pegou-as dizendo: — Isolda,
Tu viverás novamente.

Na boca e olhos da morta
As três folhas colocou,
Tornou o sangue a correr,
A respiração voltou,
E a princesa abriu os olhos,
Lhe perguntando: — Onde estou?

João lhe disse: — Minha amada,
Tu estás no teu jazigo,
Mas nada tens a temer,
Pois sempre estarei contigo.
E nunca te deixarei,
Mesmo no maior perigo.

Narrou, então, a Isolda
Tudo que lhe aconteceu,
A maneira como a vida
Dela restabeleceu;
Assim, ainda mais bela,
A princesa reviveu.

Deu-lhe um copo de vinho
Com um pedaço de pão
E disse: — Vamos sair
Desta terrível prisão,
Pra voltarmos a viver
Na mais perfeita união.

Mas não podiam sair,
Pois era a cripta trancada
Por fora. Por isso João
Fez uma grande zoada,
Deixando a guarda real
Totalmente apavorada.

Pois pensavam que o moço
Já houvesse sucumbido.
E quando ouviram de dentro
Da cripta tal alarido,
Foram correndo contar
Ao rei todo acontecido.

O rei, em pessoa, veio
Fazer a constatação.
Mandou que abrissem a cripta —
Lá dentro encontrou João
Abraçado com Isolda,
Vivos, com disposição.

O rei disse: — Credo em cruz!
O que foi que aconteceu?
Pois encontro viva e bela
Minha filha que morreu.
Disse João: — Foi Deus do céu
Que por nós intercedeu.

Ia morrer com Isolda,
Mas ela ressuscitou.
Com esta segunda chance
O bom Deus me premiou
Graças a três folhas verdes
Que uma serpente deixou.

Foram todos para casa,
Com muito contentamento.
O rei promoveu uma festa
Maior que a do casamento,
E João sorria pensando
Que acabara o sofrimento.

Passados uns cinco meses
Dos eventos que narrei,
João foi até a presença
Do sogro, dizendo: — Rei,
Se vos pedir um favor,
A vossa ajuda terei?

O rei olhou-o, com carinho,
E lhe disse: — João, meu filho,
Para tudo o que quiseres,
Não há qualquer empecilho,
Pois, estando ao meu alcance,
Do teu desejo partilho.

João disse: — Então, meu bom rei,
Dai-me a autorização
Para visitar meu pai,
Que dorme no frio chão,
E levar aos seus despojos
O consolo da oração.

A princesa, que o ouvia,
Disse ao velho rei: — Meu pai,
Deixai-me ir com o João,
Pois sem mim ele não vai.
O rei lhe disse: — Permito.
Um bom navio aprontai.

Porque por terra a viagem
Seria muito arriscada,
E se fossem pelo mar,
Era menos demorada.
Assim, subiram à nau
O herói e sua amada.

O moço João possuía
A seu serviço um criado
Em quem muito confiava,
E se chamava Conrado;
Também por este o senhor
Era bastante estimado.

No navio João chamou
O criado e disse assim:
— Estás vendo este saquinho?
Tu vais guardá-lo pra mim,
Pois há dias me persegue
Um pensamento ruim.

E explicou para Conrado
O que devia fazer,
Que num lugar bem seguro
Pudesse o saco esconder.
E como já era tarde,
Tratou de se recolher.

O leitor inda não sabe,
Porém a bela princesa,
Depois de ressuscitar,
Mudou sua natureza:
Sua alma tornou-se escura,
Tomada pela torpeza.

E pelo tal comandante
Do navio afeiçoou;
Ele também quando a viu,
Por ela se apaixonou.
Isolda foi procurá-lo,
Assim que João se deitou...

Dizendo: — Eu sei que me amas,
Porque vi no teu olhar!
Meu marido está dormindo,
Está fácil de o matar –
Eu abro a porta e tu entras
Para o crime consumar.

Assim disse, assim o fez,
Abriu a porta ligeiro.
Logo o comandante entrou,
Andando bem sorrateiro,
De um só golpe decepou
A cabeça do guerreiro.

Cortou em vários pedaços
O corpo do pobre João,
Que, dormindo, não sonhava
Com a horrenda traição
Feita por sua mulher
E o maldito capitão.

Recolheram os pedaços,
Jogaram dentro do mar.
Ela disse: — Os tubarões
Têm com que se alimentar.
Vamos voltar para casa
Para contigo eu casar.

Se o meu pai perguntar:
"O que foi feito de João?"
Diremos: "Ele morreu
Devido uma insolação".
E assim tu governarás
A mim e a nossa nação.

Conrado presenciou
Aquela maldita cena,
Com o capitão covarde
Gargalhando feito hiena –
Pegou um barco escondido,
Partido de dor e pena.

Sem que ninguém percebesse
Lançou o barco ao mar,
Os pedaços do infeliz,
Um a um, pôde juntar.
Uma luz do céu mostrava
Onde devia buscar.

Depois que os recolheu,
Fez a correta junção;
Do saco tirou as folhas,
Passou no corpo de João –
Onde passava se dava
Total cicatrização.

Depois botou-as nos olhos
E na boca do rapaz,
Que se levantou dizendo:
— Meu Deus, que cena voraz!
Traiu-me a pessoa que
No mundo eu amava mais.

Como não estavam longe
Trataram de retornar,
E, remando noite e dia,
Logo puderam chegar;
Na presença do rei foram
O crime denunciar.

O monarca, consternado,
Disse: — Que perversidade!
Ocultai-vos neste quarto,
Com toda comodidade,
Pois quando eles retornarem,
Saberei toda a verdade.

Um dia após, a princesa
Chegou com o capitão.
O rei já foi perguntando:
— O que foi feito de João?
O monstro disse: — Morreu
Vítima de insolação.

248

— E onde está o seu cadáver?
— Foi ele jogado ao mar.
O rei disse: — Então farei
O morto ressuscitar!
Nisto João saiu do quarto,
E ao monstro pôde encarar.

A princesa, quando viu
Vivo e saudável João,
Caiu aos pés do monarca
Implorando: — Pai, perdão!...
Mas o rei respondeu: — Víbora,
Pra ti não há salvação!

Traíste um guerreiro que
Queria morrer contigo,
Fizeste o que não se faz
Com o pior inimigo.
Tu e este cão tereis
A morte como castigo!

Os dois foram conduzidos
A um navio que afundava,
Amarrados em um mastro,
A morte já espreitava;
O mar veio e os tragou,
E o abismo os esperava.

O rei deu para Conrado
O posto de comandante.
Quando procurou por João,
Ele já ia distante;
Nunca mais naquela terra
Viram seu belo semblante.

E tornou-se um eremita,
Vivendo pela oração;
Um dia, chegou um velho
Dizendo: — Meu filho João,
Agora iremos morar
Lá, na celeste mansão.

João reconheceu o pai
No ancião venerando,
Ouviu o coro dos anjos
Linda canção entoando –
Abandonou a matéria
E, na região etérea,
Como santo, foi entrando.

BIBLIOGRAFIA

ALCOFORADO, Doralice. "O conto mítico de Apuleio no imaginário baiano". In: MESQUITA, Maria de Fátima Barbosa. *Estudos em literatura popular*. João Pessoa: Editora Universitária da UFPB, 2004.

ALMEIDA, Átila; ALVES SOBRINHO, José. *Dicionário biobibliográfico de repentistas e poetas de bancada*. João Pessoa: Editora Universitária da UFPB, 1978.

ALMEIDA, Renato. *A inteligência do folclore*. Rio de Janeiro: Companhia Editora Americana; Brasília: INL, 1974.

AMARAL, Amadeu. *Tradições populares*. São Paulo: Hucitec, 1976.

BAKHTIN, Mikhail. *A cultura popular na Idade Média e no Renascimento*: o contexto de François Rabelais. 5. ed. Tradução de Yara Frateschi Vieira. São Paulo: Hucitec/Annablume, 2002.

BARROSO, Gustavo. *Através dos folclores*. São Paulo: Companhia Melhoramentos, [s.d.].

BASILE, Giambattista. *Pentamerón, el cuento de los cuentos*. Tradução para o espanhol de César Palma. Madrid: Ediciones Siruela, 2006.

BATISTA, Sebastião Nunes. *Antologia da literatura de cordel*. Natal: Fundação José Augusto, 1977.

BRAGA, Teófilo. *Contos tradicionais do povo português*. Lisboa: Edições Dom Quixote, 2002 [1883].

BRANDÃO, Théo. *Seis contos populares do Brasil*. Rio de Janeiro: MEC-SEC Funarte/Instituto Nacional do Folclore; Maceió: Ufal, 1982.

CALVINO, Ítalo. *Fábulas italianas*. Tradução de Nilson Moulin. São Paulo: Companhia das Letras, 1992.

CAMPOS, João da Silva. "Contos e fábulas populares da Bahia". In: MAGALHÃES, Basílio de. *O folclore no Brasil*. 3. ed. Rio de Janeiro: Edições O Cruzeiro, 1960.

CASCUDO, Luís da Câmara. *Cinco livros do povo* (edição fac-similar). João Pessoa: Editora Universitária da UFPB, 1979.

_____. *Contos tradicionais do Brasil*. São Paulo: Global, 2004.

_____. *Vaqueiros e cantadores*. São Paulo: Global, 2005.

COELHO, Adolfo. *Contos populares portugueses*. Portugal: Compendium, 1996.

FERREIRA, Jerusa Pires. *Armadilhas da memória* (conto e poesia popular). Salvador: Fundação Casa de Jorge Amado, 1991.

GRIMM, Jacob; GRIMM, Wilhelm. *Contos e lendas dos Irmãos Grimm*. Tradução de Íside M. Bonini. São Paulo: Edigraf, 1962. 8 v.

GUIMARÃES, Ruth. *Calidoscópio*: a saga de Pedro Malazarte. São José dos Campos: JAC Editora, 2006.

HAURÉLIO, Marco. *Breve história da literatura de cordel*. São Paulo: Claridade, 2010.

_____. *Contos e fábulas do Brasil*. São Paulo: Nova Alexandria, 2011.

_____. *Contos folclóricos brasileiros*. São Paulo: Paulus, 2010.

LONDRES, Maria José F. *Cordel*: do encantamento às histórias de luta. São Paulo: Duas Cidades, 1983.

LOPES, José Ribamar (Org.). *Literatura de cordel*: antologia. Fortaleza: Banco do Nordeste do Brasil, 2004.

MATOS, Edilene (Org.). *Minelvino Francisco Silva*. São Paulo: Hedra, 2000.

MEYER, Marlise. *Autores de cordel*. São Paulo: Abril Educação, 1980. (Série Literatura Comentada)

PIMENTEL, Altimar. *Estórias de Luzia Tereza*. Brasília: Thesaurus, 1995.

PROENÇA, Manoel Cavalcante (Org). *Literatura popular em verso*: antologia. Belo Horizonte: Itatiaia; São Paulo: Edusp, 1986.

PROPP, Vladimir. *As raízes históricas do conto maravilhoso*. 2. ed. Tradução de Rosemary Costhek Abílio. São Paulo: Martins Fontes, 2002.

QUINTELA, Vilma Mota. *O cordel no fogo cruzado da cultura* (Doutorado). Salvador: UFBA, 2005.

ROMERO, Sílvio. *Contos populares do Brasil*. Belo Horizonte: Itatiaia; São Paulo: Edusp, 1985.

SOUSA, Liêdo Maranhão de. *Classificação popular da literatura de cordel*. Petrópolis: Vozes, 1976.

SOUTO MAIOR, Mário. *Território da danação*: o Diabo na cultura popular do Nordeste. Rio de Janeiro: Livraria São José, 1975.

TAVARES, Bráulio. *Contando histórias em versos*: poesia e romanceiro popular no Brasil. São Paulo: Editora 34, 2005.

SOBRE O ORGANIZADOR

Marco Haurélio, nascido em 1974 em Riacho de Santana, sertão baiano, é um dos nomes de maior destaque na literatura de cordel na atualidade. Poeta, cordelista, professor, editor e pesquisador do folclore brasileiro, Marco Haurélio é autor de uma obra cuja qualidade é uma prova irrepreensível da força da produção desse gênero da poesia popular. Com uma atividade educacional intensa que acompanha a qualidade de sua escrita, Marco Haurélio viaja o país ministrando oficinas sobre a literatura de cordel e sobre o folclore brasileiro. É um dos fundadores da Caravana do Cordel, presença marcante no cenário da cultura paulista. Em folhetos, dentre outros títulos, publicou *História de Belisfronte, o filho do pescador*; *O herói da Montanha Negra*; *Presepadas de Chicó e astúcias de João Grilo* e *As três folhas da serpente*. Escreveu vários livros infantis e juvenis, dentre eles *O príncipe que via defeito em tudo*, *A lenda do Saci-Pererê em cordel* e *As babuchas de Abu Kasem*. Adaptou para o cordel a famosa peça de William Shakespeare *A megera domada*. Também é autor de *Contos folclóricos brasileiros* e de *Breve história da literatura de cordel*. Pela Global Editora, publicou *Meus romances de cordel*, uma antologia de suas melhores composições.

SOBRE O ILUSTRADOR

Erivaldo Ferreira da Silva nasceu no Rio de Janeiro, em 1965. Filho de Expedito Ferreira da Silva, começou a fazer xilogravura aos 14 anos, incentivado pelo pai, que escrevia literatura de cordel. Aperfeiçoou a técnica com o artista Ciro Fernandes e com o autor e ilustrador J. Borges. É um dos artistas mais representativos da xilogravura brasileira.

Leia também

Meus romances de cordel

Este livro é uma prova irrefutável de que a literatura de cordel não tem fronteiras e está mais viva do que nunca. *Meus romances de cordel*, de Marco Haurélio, reúne algumas de suas melhores histórias de cordel que, até então, só haviam sido publicadas em folheto, formato consagrado por esse gênero de nossa poesia popular. Poeta cordelista, professor, editor e pesquisador do folclore brasileiro, Marco Haurélio apresenta em suas histórias uma profusão de tipos, desde heróis marcados pela bravura até aqueles satirizados por seus gracejos e ingenuidades. Para escrevê-las, Marco Haurélio inspirou-se tanto na leitura dos clássicos como em sua própria biografia, bebendo com familiaridade na rica fonte da cultura sertaneja. Em *Meus romances de cordel*, o leitor tem a seu dispor desde relatos de aventuras até histórias de amor. Passeando por reinos, paisagens e emoções, o autor atiça nossa imaginação, lançando mão do cordel para construir mundos e sensações que parecem fazer parte de nossas memórias sentimentais.

Caminhos diversos — sob os signos do cordel

A literatura de cordel é uma das expressões culturais mais populares do Brasil. O cearense Costa Senna é um mestre dessa arte. Desde 1990, vive em São Paulo criando uma poesia que é prova cabal da versatilidade desse homem arretado. Nem rural, nem urbano, Senna tem um pé na tradição e outro na modernidade: alia características e temas típicos do cordel com a experiência de vida na metrópole. Nos poemas desta antologia organizada por Marco Haurélio, Senna canta a metrópole caótica e seus personagens, que correm apressados, mas não conseguem fugir do olhar às vezes cômico, às vezes trágico do poeta.

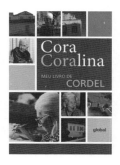

Meu livro de cordel

A simplicidade, a qualidade mais distinta na poesia de Cora Coralina, está mais presente do que nunca em *Meu livro de cordel*. O título é significativo, homenagem da autora "a todas as estórias e poesias de Cordel", e atestado de sua afinidade com "os anônimos menestréis nordestinos, povo da minha casta, meus irmãos do Nordeste rude". Vários poemas do livro são autobiográficos. Como todo artista, Cora Coralina não cessa de se olhar no espelho, de se indagar, em busca do mistério de si mesma que, no fim de tudo, é o próprio mistério da vida. A segunda parte do livro é toda confessional. *Cora Coralina, Quem é Você?*, indaga a poeta no título de um dos poemas. E responde: "Sou mulher como outra qualquer./ Venho do século passado/ e trago todas as idades." Mulher como as outras, mas de destino áspero, com o qual lutou de maneira incansável, como conta em *A Procura*, espécie de súmula de sua vida: "Andei pelos caminhos da Vida./ Caminhei pelas ruas do Destino –/ procurando meu signo./ Bati na porta da Fortuna,/ mandou dizer que não estava./ Bati na porta da Fama,/ falou que não podia atender./ Procurei a casa da Felicidade,/ a vizinha da frente me informou/ que ela tinha se mudado/ sem deixar novo endereço./ Procurei a morada da Fortaleza./ Ela me fez entrar: deu-me veste nova,/ perfumou-me os cabelos,/ fez-me beber de seu vinho./ Acertei o meu caminho." Acertou o caminho, sobretudo, quando essa fortaleza começou a se esparramar em poesia.

Melhores poemas Patativa do Assaré

Poeta e violeiro cantador, Patativa do Assaré se tornou um mito ainda em vida. Herdeiro de uma tradição de trovadores populares nordestinos, cujas raízes remotas podem se estender até os aedos gregos, ele criou uma legião de admiradores exaltados por todo o Brasil. Durante 25 anos (de 1930 a 1955), o poeta vive na Serra de Santana, trabalhando em seu roçado e compondo uma grande parte de sua obra, divulgada exclusivamente por via oral. O primeiro livro – *Inspiração nordestina* – sai em 1956, mas a melhor divulgação de sua obra era então pelo rádio. Com uma de suas músicas gravada por Luís Gonzaga, Patativa torna-se conhecido em todo o país, recebendo inúmeras homenagens, até a sua morte, em 2002. Poeta popular, Patativa se preocupava com a forma poética, cuidava da métrica e da rima, mas sem perder a espontaneidade que o ligava à terra. Foi poeta do chão nordestino, sucessor do Cego Aderaldo, mas também, como observa José Ramos Tinhorão, um "desses fenômenos da cultura popular brasileira".

Impresso por :

Graphium
gráfica e editora

Tel.:11 2769-9056